READING GERMAN IN THE SOCIAL SCIENCES

READING GERMAN IN THE SOCIAL SCIENCES

Wolf Gewehr

Pädagogische Hochschule Westfalen-Lippe
Abteilung Münster

Wolff A. von Schmidt

University of Utah

 VAN NOSTRAND REINHOLD COMPANY

New York   Cincinnati   Toronto   London   Melbourne

Van Nostrand Reinhold Company Regional Offices:
New York Cincinnati Chicago Millbrae Dallas

Van Nostrand Reinhold Company International Offices:
London Toronto Melbourne

Published by Van Nostrand Reinhold Company
450 West 33rd Street, New York, N.Y. 10001

Published simultaneously in Canada by
Van Nostrand Reinhold Ltd.

10 9 8 7 6 5 4 3 2 1

Text and cover design by Saul Schnurman

Preface

READING GERMAN IN THE SOCIAL SCIENCES is part of a series of three volumes. The other two books are READING GERMAN IN THE HUMANITIES and READING GERMAN IN THE NATURAL SCIENCES. Each volume of the series consists of a concise grammar review and thirty selected readings. Each reading is followed by a number of exercises testing vocabulary, grammar, and comprehension. For those students who want to use the book for independent study, a key has been provided in the back of the book.

READING GERMAN IN THE SOCIAL SCIENCES is comprised of materials in education, history, journalism, political science, psychology, and sociology.

The texts are intended to prepare students for the German reading examination by the Educational Testing Service or for comparable examinations. For this reason, the included readings have been selected from recent issues of professional journals within the respective areas. The student will therefore be exposed to the type of vocabulary that is of great practical value in his professional field.

W. G.

W. A. v. S.

Contents

PART II   READINGS AND EXERCISES

READING GERMAN IN THE SOCIAL SCIENCES

part I summary of grammar

ıntroduction

PHONOLOGY AND
ORTHOGRAPHICAL CONVENTIONS

Descriptive Phonology

Phonological conventions in English and German may differ widely, and it is therefore important to develop proper speaking habits from the very beginning. This goal can best be achieved by careful listening and close imitation.

The subsequent practical suggestions are designed to help avoid common errors in German pronunciation.

RULE 1 The following English vowels do not occur in German:

    a. short *a* like in *fat rat*
    b. long gliding *a* like in *whale, sail, clay*
    c. long gliding *o* like in *so, coat, globe, flow*

RULE 2 The following English consonants do not occur in German:

    a. soft *g* or *j* like in *gentle, sage, hedge, jaw*
    b. *l* like in *love, trailer, shell*

c. *r* like in *rabbit, berry, fur, barn*
d. *th* like in *thorn, ether, broth*; *that, feather*
e. *w* like in *winter, wheat*

RULE 3   The following German diphthongs have corresponding sounds in English:

a. German **au** (**der Laut**) resembles the English *ou* (sound)
b. German **eu / äu** (**die Leute / die Säule**) resembles English *oi* (*moisture*)
c. German **ei / ai** (**der Teil / der Kaiser**) resembles English *ei* (*height*)

RULE 4   All German voiced consonants in final position become voiceless.

RULE 5   The German consonant cluster **ch** is usually pronounced as follows:

a. if **ch** is preceded by **a, o, u, au,** it is a voiceless velar fricative (**das Dach, das Buch**)
b. if **ch** is preceded by **e, i, ie, ei / ai, eu / äu, ä, ö, ü** or the semivowels **m, n, l, r,** it is a voiceless palatale fricative (**die Rechnung, das Zeichen, manchmal**)
c. if **ch** is succeeded by an **s,** it is pronounced like English *x* (**der Fuchs** — *fox*)

RULE 6   The German consonants **w** and **v** have the following phonetic characteristics:

a. German **w** is pronounced like English *v*, but German has no sound like English *w* as in *wood* (**der Winter** vs. *winter*)
b. German **v** is pronounced like English *f* (**der Vater** — *father*)

Note: In most words of non-German origin **v** is pronounced like English *v* (**die Venus, der November**).

RULE 7   German **z** is pronounced like *ts* as in *tsetse fly* (**der Zahn**)

Cognates

Since German as well as English are Germanic languages, cognates occur frequently.

a. There are cognates with identical meanings; examples: **der Bruder** — *brother*; **der Pfeffer** — *pepper*; **reich** — *rich*; **das Schiff** — *ship*; **das Wasser** — *water*; **der Wein** — *wine*.

b. There are cognates where the meanings in English and German are not identical; examples: **aktuell** — *current, actual* — **eigentlich; eventuell** — *possibly, eventual* — **gelegentlich; spenden** — *to donate, to spend* — **ausgeben, verbringen.**

Orthographical Conventions

RULE 1 All German nouns are capitalized.

Note: Personal and possessive pronouns of the second person are capitalized in correspondence. However, the first person singular is not capitalized.

RULE 2 In contrast to English, German has four additional letters, the umlauts **ä, ö, ü** and the letter **ß.**

Note: **ß** occurs:

a. in final position or before a consonant (**der Kuß, er küßt**)

b. if it is intervocalic with the preceding vowel long (**die Straße** vs. **die Küsse**)

chapter **1**

VERBS

A. Present Tense and Imperative

PRESENT TENSE

STRONG, WEAK, AND IRREGULAR VERBS

There are three types of verbs in German: strong, weak, and irregular. Every verb has three principal parts consisting of the infinitive, the third person imperfect, and the past participle.

STRONG VERBS

Strong verbs in German can be recognized by a change of the stem vowel as is the case with most irregular verbs in English. But the past participle in German adds the prefix **ge-** and the suffix **-en** (*to sing, sang, sung* — **singen, sang, hat gesungen**):

PRESENT TENSE (INDICATIVE)

SG.	1	ich	sing**e**	
	2	du	sing**st**	(Sie sing**en**)
	3	er	sing**t**	
PL.	1	wir	sing**en**	
	2	ihr	sing**t**	(Sie sing**en**)
	3	sie	sing**en**	

SG.	1	ich	spreche	
	2	du	sprich**st**	(Sie sprech**en**)
	3	er	sprich**t**	
PL.	1	wir	sprech**en**	
	2	ihr	sprech**t**	(Sie sprech**en**)
	3	sie	sprech**en**	

Note:

a. All German verbs have the familiar and the conventional form of address for the second person singular and plural. The conventional form occurs frequently. Therefore, acquaint yourself with it from the very beginning. The suffix for the singular as well as for the plural is always **-en**.

b. The stem vowel of many strong verbs changes in the second (familiar) and third persons singular. For that reason it is important to memorize these forms, which are listed in the appendix (**ich gebe,** but **du gibst, er gibt; ich laufe,** but **du läufst, er läuft**).

c. In contrast to English, there are no emphatic or progressive forms in German. The English forms *I go, I do go, I am going* are all equivalent to **ich gehe.**

d. The present tense may imply future meaning (**Nächstes Jahr fliege ich nach Europa.** *Next year I will fly to Europe.*).

WEAK VERBS

Weak verbs in German add the suffixes **-t** or **-et** to the infinitive stem to form the past tense. The past participle of these verbs is formed by adding the prefix **ge-** and the suffixes **-t** or **-et** to the infinitive stem (*to hope, hoped, hoped* — **hoffen, hoffte, gehofft;** *to talk, talked, talked* — **reden, redete, geredet**):

PRESENT TENSE (INDICATIVE)

SG.	1	ich	hoffe	
	2	du	hoffst	(Sie hoffen)
	3	er	hofft	
PL.	1	wir	hoffen	
	2	ihr	hofft	(Sie hoffen)
	3	sie	hoffen	

Note:

a. If the verb stem ends in **s, ß, x,** or **z,** the **s** of the personal ending of the second person singular is omitted (**du küßt** — *you kiss*).

b. To facilitate pronunciation an **e** is inserted between the stem and the suffix (**er arbeitet, du atmest, er hat geöffnet**).

c. Verbs ending in **-ieren** are always weak and do not add the prefix **ge-** in the past participle (**telefonieren, telefonierte, hat telefoniert**).

IRREGULAR VERBS

Irregular verbs in German can be recognized by the fact that a stem vowel change occurs, but their suffixes correspond to those of the weak verbs (**kennen, kannte, gekannt**).

IMPERATIVE

The imperative in German occurs primarily in all forms of the second person and sometimes in the first person plural.

RULE 1   The imperative for the conventional form of the second person singular and plural is identical to its corresponding form of the present tense; the verb, however, precedes the pronoun (**kommen Sie!, geben Sie!, sehen Sie!**).

RULE 2   The imperative for the second person singular (familiar) is formed by adding an optional **-e** to the infinitive stem. But those strong verbs which change their stem vowel from **e** to **i** or **ie** never add the suffix **-e** (**komm**(e)**!**, but **gib!, sieh!**).

RULE 3   The imperative for the second person plural (familiar) is identical to its corresponding form in the present tense; the personal pronoun **ihr,** however, is omitted (**kommt!, gebt!, seht!**).

RULE 4   The imperative for the first person plural is identical to its corresponding form in the present tense; the verb, however, precedes the pronoun (**kommen wir!, geben wir!, sehen wir!**).

AUXILIARIES: <u>HABEN, SEIN, WERDEN</u>

The auxiliaries **haben, sein, werden** (which are all irregular) are used to form the perfect and future tenses and the passive voice. For this reason they are the most frequently occurring verbs. The conjugations in the present tense of these three auxiliaries are as follows:

PRESENT TENSE (INDICATIVE)

SG.	1	ich	habe	
	2	du	hast	(Sie haben)
	3	er	hat	
PL.	1	wir	haben	
	2	ihr	habt	(Sie haben)
	3	sie	haben	

SG.	1	ich	bin	
	2	du	bist	(Sie sind)
	3	er	ist	
PL.	1	wir	sind	
	2	ihr	seid	(Sie sind)
	3	sie	sind	

SG.	1	ich	werde	
	2	du	wirst	(Sie werden)
	3	er	wird	
PL.	1	wir	werden	
	2	ihr	werdet	(Sie werden)
	3	sie	werden	

B. Past Tenses

In German there are three tenses of the past — imperfect, present perfect, and past perfect — the uses of which do not always coincide with English.

IMPERFECT (Narrative Past)

The imperfect is most frequently used for narration or description of a situation and occurs primarily in conversation with the verbs **haben, sein,** and the modal auxiliaries **dürfen, können, mögen, müssen, sollen,** and **wollen.**

STRONG VERBS

RULE 1   Strong verbs in German change the stem vowel, as is the case with most strong verbs in English.

RULE 2   The suffixes are the same as in the present tense, except that the first and third persons singular do not take an ending at all.

IMPERFECT (INDICATIVE)

SG.	1	ich	sang	
	2	du	sang**st**	(Sie sang**en**)
	3	er	sang	
PL.	1	wir	sang**en**	
	2	ihr	sang**t**	(Sie sang**en**)
	3	sie	sang**en**	

WEAK VERBS

Weak verbs in German add the suffixes **-t** or **-et** to the stem plus the personal endings. The **-e-** is inserted in order to facilitate pronunciation (**ich red<u>ete</u>, du red<u>etest</u>,** etc.):

SG.	1	ich	hoffte	
	2	du	hofftest	(Sie hofften)
	3	er	hoffte	
PL.	1	wir	hofften	
	2	ihr	hofftet	(Sie hofften)
	3	sie	hofften	

PRESENT PERFECT (Conversational Past)

The present perfect is used for conversation when referring to a single event.

As a rule, the auxiliary of the perfect tenses is **haben.** However, intransitive verbs expressing a change of place or condition and the verbs **bleiben, gelingen, geschehen,** and **sein** take the auxiliary **sein.**

The present perfect consists of a present tense form of the auxiliaries **haben** or **sein** plus past participle.

STRONG VERBS

The past participle of strong verbs consists of the perfect stem plus the prefix **ge-** and the suffix **-en** (**gesprochen**):

PRESENT PERFECT (INDICATIVE)

SG.	1	ich	habe gesprochen	
	2	du	hast gesprochen	(Sie haben gesprochen)
	3	er	hat gesprochen	
PL.	1	wir	haben gesprochen	
	2	ihr	habt gesprochen	(Sie haben gesprochen)
	3	sie	haben gesprochen	

SG.	1	ich	bin gesprungen	
	2	du	bist gesprungen	(Sie sind gesprungen)
	3	er	ist gesprungen	
PL.	1	wir	sind gesprungen	
	2	ihr	seid gesprungen	(Sie sind gesprungen)
	3	sie	sind gesprungen	

WEAK VERBS

The past participle of weak verbs consists of the stem plus the prefix **ge-** and the suffix **-t** or **-et** (**ich habe gearbeitet, ich bin gewandert**).

Note: The prefix **ge-** of the past participle is always omitted if the verb has an inseparable prefix, or if the infinitive ends in **-ieren**:

Kolumbus hat Amerika entdeckt.   Columbus discovered America.
Er hat sich dafür interessiert.   He was interested in it.

PAST PERFECT

The past perfect in German has the same function as in English. It indicates that an event which happened prior to another occurrence has been completed.

The past perfect consists of the imperfect tense of the auxiliaries **haben** or **sein** plus past participle:

PAST PERFECT (INDICATIVE)

SG.	1	ich	hatte gesprochen	
	2	du	hattest gesprochen	(Sie hatten gesprochen)
	3	er	hatte gesprochen	
PL.	1	wir	hatten gesprochen	
	2	ihr	hattet gesprochen	(Sie hatten gesprochen)
	3	sie	hatten gesprochen	
SG.	1	ich	war gesprungen	
	2	du	warst gesprungen	(Sie waren gesprungen)
	3	er	war gesprungen	
PL.	1	wir	waren gesprungen	
	2	ihr	wart gesprungen	(Sie waren gesprungen)
	3	sie	waren gesprungen	

Note: The past participles of the auxiliaries **haben** and **sein** are **gehabt** and **gewesen,** respectively:

> Ich **habe** keine Zeit **gehabt.**   *I had no time.*
> Ich **bin** krank **gewesen.**   *I was sick.*

A list of strong and irregular weak verbs is in the Appendix.

C. Future Tenses

FUTURE

The future tense is formed by using the present tense of the auxiliary **werden** plus infinitive:

FUTURE

SG.	1	**ich**	**werde geben**	
	2	**du**	**wirst geben**	**(Sie werden geben)**
	3	**er**	**wird geben**	
PL.	1	**wir**	**werden geben**	
	2	**ihr**	**werdet geben**	**(Sie werden geben)**
	3	**sie**	**werden geben**	

The future is also used to express present probability, frequently indicated by **schon** or **wohl:**

> Er **wird wohl** wissen, warum er bestraft wurde.
> *He probably knows why he was punished.*

FUTURE PERFECT

The future perfect is most commonly used to express past probability. It is formed by using the present tense of the auxiliary **werden** plus the past participle of the verb and the infinitives **haben** or **sein.** The probability is often indicated by **schon** or **wohl:**

Wie ich ihn kenne, **wird** er den Brief **schon** längst **geschrieben haben.**
As I know him, he probably wrote the letter long ago.

Bis wir zum Bahnhof kommen, **wird** der Zug **wohl abgefahren sein.**
Until we get to the railroad station, the train is probably gone.

D. Subjunctive

While the indicative concerns itself with factual events, the subjunctive deals with hypothetical situations. In German one distinguishes between two types of subjunctive.

SUBJUNCTIVE I

Subjunctive I is primarily used for indirect discourse (following verbs of saying, thinking, hearing, etc.), but also to express commands and wishes.

Subjunctive I is constructed by using the infinitive stem plus the subjunctive endings:

PRESENT TENSE (SUBJUNCTIVE I)

SG.	1	ich	fahre	
	2	du	fahrest	(Sie fahren)
	3	er	fahre	
PL.	1	wir	fahren	
	2	ihr	fahret	(Sie fahren)
	3	sie	fahren	

INDIRECT DISCOURSE

PRESENT TENSE: Er sagt, daß ihm der Film gut **gefalle.**
He says that he likes the film very much.

PRESENT PERFECT:	Er behauptet, er **sei** erfolgreich **gewesen.**
	He asserts that he was successful.
FUTURE:	Wir hofften, daß er bald **kommen werde.**
	We hoped that he would come soon.

COMMAND

Man **fahre** nicht über die gelbe Linie!
One should not cross the yellow line.

WISH

Gott **schütze** die Königin!
God save the Queen!

Note: In subjunctive I, the verb **sein** does not take an ending in the first and third persons singular (**ich sei, er sei**).

SUBJUNCTIVE II (Conditional)

Subjunctive II is used for contrary-to-fact conditions and indirect discourse.

Subjunctive II consists of the imperfect stem plus the subjunctive endings. The imperfect stems of strong verbs take an umlaut wherever possible (thus, the imperfect of **fahren** is **fuhr**):

PRESENT TENSE (SUBJUNCTIVE II)

SG.	1	ich	führe	
	2	du	führest	(Sie führen)
	3	er	führe	
PL.	1	wir	führen	
	2	ihr	führet	(Sie führen)
	3	sie	führen	

CONTRARY-TO-FACT CONDITIONS

There are two tenses for this mood: the present tense and the past. Each of these two tenses can be expressed by using two different constructions, namely subjunctive II and conditional. The conditional corresponds to the English construction with *would*. It is normally not used in the dependent (**wenn-**) clause:

PRESENT TENSE

    Subjunctive II: Wenn ich genug Geld **hätte, flöge** ich nach Europa.
    Conditional: **würde** ich nach Europa **fliegen.**
                             If I had enough money, I would fly to Europe.

PAST TENSE

    Subjunctive II: Wenn ich genug Geld **gehabt hätte, wäre** ich nach Europa **geflogen.**
                             If I had had enough money, I would have flown to Europe.

Note: The past conditional is never used in German.

INDIRECT DISCOURSE

The subjunctive II and conditional may be used to express indirect discourse (following verbs of saying, thinking, hearing, etc.). They are most commonly used to avoid ambiguities between the indicative and subjunctive I:

INDIRECT STATEMENT

    Subjunctive I: Er sagt, daß sie das Auto **reparieren.** (ambiguous)
    Subjunctive II: daß sie das Auto **reparierten.** (ambiguous)
    Conditional: daß sie das Auto **reparieren würden.**
                           He says that they would repair the car.

INDIRECT QUESTION

    Subjunctive I: Er fragte, wann sie das Auto **reparierten.** (ambiguous)
    Subjunctive II: wann sie das Auto **repariert hätten.**
                           He asked when they had repaired the car.

Note: Since subjunctive II of the past tense is in no way ambiguous, the past tense conditional must never be used.

E. Passive Voice

When a sentence is changed from the active to the passive voice, the direct object becomes the subject, that is, the subject is being acted upon.

RULE 1 The passive voice is formed by using the auxiliary **werden** plus past participle.

RULE 2 If the source of action is a living being, the preposition **von** is used. If the source of action is a means, the preposition **durch** is used:

> Das Haus wird **von dem Architekten** gebaut.
> *The house is being built by the architect.*
> Das Haus wird **durch das Feuer** zerstört.
> *The house is being destroyed by the fire.*

TENSES OF THE PASSIVE VOICE

PRESENT TENSE:	**es wird getragen**	*it is (being) carried*
IMPERFECT:	**es wurde getragen**	*it was (being) carried*
PRESENT PERFECT:	**es ist getragen worden**	*it has been carried*
PAST PERFECT:	**es war getragen worden**	*it had been carried*
FUTURE:	**es wird getragen werden**	*it will be carried*
FUTURE PERFECT:	**es wird getragen worden sein**	*it will have been carried*

Note:

a. The past participle of the auxiliary **werden** is **worden;** the past participle of the verb **werden** (*to become*) is **geworden.**
b. The perfect tenses of the passive are always formed with the auxiliary **sein** instead of **haben.**

c. A state or condition is expressed by using a form of **sein** plus past participle; this is frequently referred to as the "statal passive":

Die Tür **ist geschlossen.**   *The door is closed.*

F. Verb Prefixes

There are two different types of verb prefixes in German, inseparable and separable prefixes.

INSEPARABLE PREFIXES

RULE 1   The inseparable prefixes are: **be-, emp-, ent-, er-, ge-, miß-, ver-, voll-, wider-, zer-.**

RULE 2   The past participle of a verb with inseparable prefix does not add the past-participle prefix **ge-** (er hat ihn **empfangen** — *he received him*).

SEPARABLE PREFIXES

RULE 1   In independent clauses the separable prefix is separated from the verb stem in the present tense, imperfect, and imperative:

INDEPENDENT CLAUSE: Er **geht weg.**   *He leaves.*
Er **ging weg.**   *He left.*
Gehen Sie **weg!**   *Leave!*

DEPENDENT CLAUSE: Ich weiß, daß er **weggeht.**
I know that he leaves.

RULE 2   The separable prefix precedes
a. the infinitive with **zu**

Er beschloß **weg̲zugehen.**   *He decided to leave.*

b. the past participle prefix **ge-**

Er ist **weg̲g̲egangen.**   *He left.*

Note: There are a few situations where a prefix may be inseparable or separable, accompanied by a change of meaning:

Er **übersetzte** das Buch.   *He translated the book.*
Er **setzte** die Leute **über.**   *He ferried the people across.*

G. Modal Auxiliaries

In German there are six modal auxiliaries:

dürfen	*to be allowed, may*
können	*to be able, can*
mögen	*to like (to)*
müssen	*to have to, must*
sollen	*ought, to be to*
wollen	*to want*

Note: In the present tense the subjunctive of **mögen** is frequently used to express politeness:

Ich **möchte** eine Tasse Kaffee.
I would like a cup of coffee.

RULE 1   The present tense of the modal auxiliaries is conjugated irregularly:

SG.	1	ich	**darf**	**kann**	**mag**	**muß**	**soll**	**will**
	2	du	**darfst**	**kannst**	**magst**	**mußt**	**sollst**	**willst**
	3	er	**darf**	**kann**	**mag**	**muß**	**soll**	**will**
PL.	1	wir	**dürfen**	**können**	**mögen**	**müssen**	**sollen**	**wollen**
	2	ihr	**dürft**	**könnt**	**mögt**	**müßt**	**sollt**	**wollt**
	3	sie	**dürfen**	**können**	**mögen**	**müssen**	**sollen**	**wollen**

RULE 2   The imperfect of modal auxiliaries is conjugated like a weak verb, with slight irregularities: **ich durfte, ich konnte, ich mochte, ich mußte, ich sollte, ich wollte.**

RULE 3   Modal auxiliaries take an infinitive without **zu**:

> Er **will** ein Buch **lesen.**
> *He wants to read a book.*

RULE 4   The past participle of a modal auxiliary has the same form
as the infinitive. Used as a verb, the past participle is formed
like that of a weak verb:

> MODAL AUXILIARY: Ich habe reisen **dürfen.**
> *I was allowed to travel.*
>
> VERB: Ich habe sie immer **gemocht.**
> *I always liked her.*

H. Verbs Requiring Special Attention

REFLEXIVE VERBS

There are some verbs in German which require a reflexive pronoun;
some of them govern the dative and some the accusative:

> DATIVE: Ich stelle **mir** das sehr interessant vor.
> *I imagine that to be very interesting.*
>
> ACCUSATIVE: Ich fürchte **mich** vor dem Gewitter.
> *I am afraid of the thunderstorm.*

Note: For a complete list of reflexive pronouns, see Chapter 3, E.

IMPERSONAL VERBS

Verbs which take only the impersonal pronoun **es** as their subject are
called impersonal verbs:

> **Es schneit.**   *It is snowing.*

Note: For further uses of the impersonal pronoun **es,** see Chapter
3, A.

VERBS ENDING IN -IEREN

Verbs ending in **-ieren** do not take the past-participle prefix **ge-**:

> Er hat **regiert.** *He ruled.*

THE VERBS KÖNNEN, KENNEN, WISSEN

a. The verb **können** used independently denotes know-how:

> Er **hat** Französisch **gekonnt.**
> *He knew French.*

b. The verb **kennen** denotes acquaintance:

> Er **kennt** den Film.
> *He knows the movie.*

c. The verb **wissen** denotes factual knowledge:

> Ich **weiß,** daß die Erde rund ist.
> *I know that the earth is round.*

Note: The verb **wissen** is conjugated irregularly:

SG.	1	**ich**	**weiß**	
	2	**du**	**weißt**	(**Sie wissen**)
	3	**er**	**weiß**	
PL.	1	**wir**	**wissen**	
	2	**ihr**	**wißt**	(**Sie wissen**)
	3	**sie**	**wissen**	

chapter 2
ARTICLES AND NOUNS

In German, as well as in English, there are four cases: nominative, genitive, dative, and accusative. The nominative occurs as subject of a sentence or clause, predicate nominative, and address or apposition. The genitive denotes possession. The dative expresses the indirect object, that is, to whom or for whom something is done. The accusative expresses the direct object, which is the recipient of the action of the verb.

A. Articles

In German there are three different genders, all of hich whave their corresponding definite and indefinite articles.

DEFINITE ARTICLES (Der-Words)

The declension of the definite article is as follows:

	Masculine	Feminine	Neuter
N.	**der**	**die**	**das**
G.	**des**	**der**	**des**
D.	**dem**	**der**	**dem**
A.	**den**	**die**	**das**

PLURAL

N.	**die**
G.	**der**
D.	**den**
A.	**die**

There are several words, called **der**-words, which are declined like the definite article:

alle	*all*
beide	*both*
dieser	*this, that (the latter)*
jener	*that (the former)*
jeder	*each, every*
manche	*some, several*
mancher	*many a*
solcher	*such*
welcher	*which*

INDEFINITE ARTICLES (Ein-Words)

The declension of the indefinite article is as follows:

SINGULAR

	Masculine	Feminine	Neuter
N.	**ein**	**eine**	**ein**
G.	**eines**	**einer**	**eines**
D.	**einem**	**einer**	**einem**
A.	**einen**	**eine**	**ein**

PLURAL

N.	meine
G.	meiner
D.	meinen
A.	meine

All possessive pronouns and the word **kein** are declined like the indefinite article and are called **ein**-words:

mein	*my*
dein	*your* (familiar singular)
sein	*his*
ihr	*her*
sein	*its*
unser	*our*
euer	*your* (familiar plural)
ihr	*their*
Ihr	*your* (conventional, singular and plural)
kein	*no, not a*

B. Nouns

Since the gender of German nouns is usually unpredictable, it is best to memorize the proper gender with a noun. Furthermore, German has several different plural formations, and these, too, should be memorized. German nouns may be divided into five groups:

GROUP I

This group consists of:

a. masculine and neuter nouns ending in **-el, -en,** and **-er;**
b. neuter nouns with the prefix **Ge-** and the ending **-e;**
c. diminutives ending in **-chen** and **-lein,** which are always neuter.

The plural of this group does not take an ending, but the stem vowel is frequently umlauted (**der Vater — die Väter**):

SG.				PL.			
	N.	der	Panther		N.	die	Panther
	G.	des	Panthers		G.	der	Panther
	D.	dem	Panther		D.	den	Panthern
	A.	den	Panther		A.	die	Panther

GROUP II

This group consists of monosyllabic masculine nouns and nouns ending in **-ich, -ig, -ing, -nis,** and **-sal.** The plural ends in **-e,** and the stem vowel is usually umlauted:

SG.				PL.			
	N.	der	Baum		N.	die	Bäume
	G.	des	Baumes		G.	der	Bäume
	D.	dem	Baum(e)		D.	den	Bäumen
	A.	den	Baum		A.	die	Bäume

GROUP III

This group consists primarily of monosyllabic neuter nouns and nouns ending in **-tum.** The plural of this group ends in **-er,** and the stem vowel is always umlauted where possible:

SG.				PL.			
	N.	das	Glas		N.	die	Gläser
	G.	des	Glases		G.	der	Gläser
	D.	dem	Glas(e)		D.	den	Gläsern
	A.	das	Glas		A.	die	Gläser

GROUP IV

This group consists primarily of

a. feminine nouns ending in **-e, -ei, -heit, -ig, -ion, -keit, -schaft, -tät,** and **-ung;**

b. all masculine nouns denoting living beings ending in **-e** (**der Löwe**) and those having endings of non-German origin, such as **-ant, -arch, -ent, -et, -graph, -ist, -log,** and **-soph;**

c. all adjectives as well as present and past participles used as nouns.

The plural of this group ends in **-en** or **-n,** and the stem vowel is never umlauted:

SG.	N.	die	Lampe	PL.	N.	die	Lampen
	G.	der	Lampe		G.	der	Lampen
	D.	der	Lampe		D.	den	Lampen
	A.	die	Lampe		A.	die	Lampen
SG.	N.	der	Philosoph	PL.	N.	die	Philosophen
	G.	des	Philosophen		G.	der	Philosophen
	D.	dem	Philosophen		D.	den	Philosophen
	A.	den	Philosophen		A.	die	Philosophen

GROUP V

This group consists primarily of neuter nouns of non-German origin. The plural of this group is formed by adding **-s:**

SG.	N.	das	Auto	PL.	N.	die	Autos
	G.	des	Autos		G.	der	Autos
	D.	dem	Auto		D.	den	Autos
	A.	das	Auto		A.	die	Autos

chapter 3

PRONOUNS

The most important function of a pronoun is to replace a noun. As in English, there are various types of pronouns in German.

A. Personal Pronouns

SINGULAR

	First Person	Second Person	Third Person
N.	ich	du, Sie	er, sie, es
G.	(meiner)*	(deiner, Ihrer)*	(seiner, ihrer, seiner)*
D.	mir	dir, Ihnen	ihm, ihr, ihm
A.	mich	dich, Sie	ihn, sie, es

PLURAL

N.	wir	ihr, Sie	sie
G.	(unser)*	(euer, Ihrer)*	(ihrer)*
D.	uns	euch, Ihnen	ihnen
A.	uns	euch, Sie	sie

*The genitive of the personal pronoun is rarely used in German.

The English pronoun *it* may be equivalent to **er, sie,** or **es,** depending on the gender of the corresponding noun:

Die Tür ist offen.   **Sie** ist offen.

Es gibt means *there is* or *there are,* depending on the number of the direct object. It expresses mere existence:

Es gibt viele Wolkenkratzer in New York.
There are many skyscrapers in New York.

B. Possessive Pronouns

The possessive pronouns **mein, dein (Ihr), sein, ihr, sein, unser, euer (Ihr), ihr** are declined like **ein-**words (see Chapter 2).

C. Demonstrative Pronouns

The demonstrative pronouns **dieser** and **jener** are declined like **der-**words (see Chapter 2). For emphasis, the definite articles **der, die, das** may be used as demonstrative pronouns.

D. Relative Pronouns

The relative pronouns **der** and **welcher** refer to a noun or pronoun in the preceding clause. The form of the relative pronoun is determined by the gender and number of the noun to which it refers. The case of the relative pronoun, as in English, is governed by its function in the clause.

The declension of the relative pronouns is for the most part like that of **der**-words (deviations are underscored below):

SINGULAR

	Masculine	Feminine	Neuter
N.	der, welcher	die, welche	das, welches
G.	dessen	deren	dessen
D.	dem, welchem	der, welcher	dem, welchem
A.	den, welchen	die, welche	das, welches

PLURAL

N.	die, welche
G.	deren
D.	denen, welchen
A.	die, welche

If the relative pronoun has no antecedent, it is expressed by **wer** (**auch immer**) or **was** (**auch immer**), for which the English equivalents are *whoever* and *whatever*.

The neuter relative pronoun **was** must be used whenever the antecedent is an indefinite pronoun like **alles, etwas, manches, nichts, vieles,** etc., a neuter superlative used as a noun, or an idea:

> Sie trug **das Beste, was** sie hatte.
> *She wore the best clothes she had.*
> Er nimmt die Kandidatur an, **was** mich sehr freut.
> *He accepts the candidacy, (something) which makes me very happy.*

E. Reflexive Pronouns

The reflexive pronoun refers to the subject. Some German verbs require reflexive pronouns in the dative, others require reflexive pronouns in the accusative. Reflexive pronouns in the dative and accusative differ only in the first and second (familiar) persons.

		DATIVE	ACCUSATIVE
SG.	1	mir	mich
	2	dir (sich)	dich (sich)
	3	sich	sich
PL.	1	uns	uns
	2	euch (sich)	euch (sich)
	3	sich	sich

Ich stelle **mir** das neue Haus vor.	*I imagine the new house.*
Du wäschst **dich.**	*You are washing yourself.*

The dative and accusative plural reflexive pronouns (**uns, euch, sich**) are replaced by the reciprocal pronoun **einander** in order to avoid ambiguities:

Sie kritisieren **sich.**	*They criticize themselves.*
Sie kritisieren **einander.**	*They criticize each other.*

F. Indefinite Pronouns

The most frequently occurring pronouns are **man** (*one*), **jemand** (*somebody*), and **niemand** (*nobody*). The declensions are as follows:

N.	man	N.	jemand*
G.	eines	G.	jemand(-es)
D.	einem	D.	jemand(-em)
A.	einen	A.	jemand(-en)

*The personal endings are often omitted; **niemand** is declined like **jemand.**

G. Interrogative Pronouns

wer, was

The declensions of the interrogative pronouns **wer** (*who*) and **was** (*what*) are as follows:

MASCULINE AND FEMININE		NEUTER	
N.	**wer**	N.	**was**
G.	**wessen**	G.	—
D.	**wem**	D.	—
A.	**wen**	A.	**was**

welcher

The interrogative pronoun **welcher** (*which*) is declined like the **der-** words (see Chapter 2).

was für ein

The expression **was für ein** is used as an interrogative pronoun (*what kind*) or as an attribute (*what a*). The plurals are **was für welche** and **was für,** respectively.

chapter 4
ADJECTIVES AND ADVERBS

A. Adjectives

There are two types of adjective endings: strong and weak.

STRONG ADJECTIVE ENDINGS

If no **der-** or **ein-**word — or an **ein-**word without an ending — precedes an adjective, the adjective ending is strong.

The strong declension of adjectives is as follows:

SINGULAR

	Masculine	Feminine	Neuter
N.	klein**er**	klein**e**	klein**es**
G.	klein**en**	klein**er**	klein**en**
D.	klein**em**	klein**er**	klein**em**
A.	klein**en**	klein**e**	klein**es**

PLURAL

N.   kleine
G.   kleiner
D.   kleinen
A.   kleine

Kühles Bier ist erfrischend.
Cool beer is refreshing.
Sein blauer Sportwagen war ein Porsche.
His blue sportscar was a Porsche.

WEAK ADJECTIVE ENDINGS

If a **der-**word — or an **ein-**word with an ending — precedes the adjective, it takes a weak ending.

The weak declension of adjectives is as follows:

SINGULAR

	Masculine	Feminine	Neuter
N.	enge	enge	enge
G.	engen	engen	engen
D.	engen	engen	engen
A.	engen	enge	enge

PLURAL

N.   engen
G.   engen
D.   engen
A.   engen

Diese bittere Tablette macht mich müde.
This bitter pill makes me sleepy.
Mein Nachbar hat einen bissigen Hund.
My neighbor has a dog which bites.

Note: Predicate adjectives are never declined (Der Turm ist **hoch.** *The tower is high.*)

COMPARATIVE

The comparative of adjectives is formed by adding **-er-** to the uninflected positive form:

Der Volkswagen ist ein kleinerer Wagen als der Cadillac.

SUPERLATIVE

The superlative of adjectives is formed by adding **-st-** to the uninflected positive form:

San Franzisko ist die schönste Stadt in Kalifornien.

Note:

a. Many monosyllabic adjectives with stem-vowel **a, o,** or **u** are umlauted in the comparative and the superlative.
b. Present and past participles may function as adjectives (with their respective endings) or as adverbs.

The following adjectives are irregular in comparison:

POSITIVE	COMPARATIVE	SUPERLATIVE
gut (*good*)	**besser**	**best-**
hoch, hoh- (*high*)	**höher**	**höchst-**
nah (*near*)	**näher**	**nächst-**
viele (*many*)	**mehr**	**meist-**

B. Adverbs

An adverb modifies a verb, an adjective, or another adverb. Whether used in the positive or comparative form, an adverb never takes an ending. Adverbs and predicate adjectives used in the superlative

form are preceded by **am** and take the suffix **-sten** (Die Nachtigall singt **am** schön**sten**. *The nightingale sings most beautifully.*).
The following adverbs are irregular in comparison:

POSITIVE	COMPARATIVE	SUPERLATIVE
bald (*soon*)	**eher**	**am ehesten**
gern (*gladly*)	**lieber**	**am liebsten**
viel (*much*)	**mehr**	**am meisten**

chapter 5
WORD ORDER
AND CONJUNCTIONS

A. Word Order

There are three kinds of word order: normal, inverted, and dependent.

NORMAL WORD ORDER

In normal word order, the subject (S) and its modifiers are followed by the *inflected verb* (V) and its modifiers.

(S)   (V)

Der alte **Mann hat** viel erlebt.   *The old man has seen much.*

INVERTED WORD ORDER

In inverted word order, the *inflected verb* (V) precedes the subject (S) and its modifiers.

> (V)   (S)
> **Kauft er** sich einen neuen Anzug?
> *Is he buying a new suit for himself?*

> (V)   (S)
> Morgen **wird das Wetter** wieder schön sein.
> *Tomorrow the weather will be nice again.*

Note: A sentence with inverted word order can never start with a conjunction.

DEPENDENT WORD ORDER

Dependent word order occurs in dependent clauses: the subordinating conjunction is followed by the subject (S) plus its modifiers, and the *inflected verb* (V) is in last position:

> (S)   (V)
> Der Vater verlangt, **daß seine Kinder** ihm **gehorchen.**
> *The father demands that his children obey him.*

Note:

a. All relative pronouns require dependent word order:

> (S)   (V)
> Das ist der Hund, **der** eben gebellt **hat.**
> *That is the dog which was just barking.*

b. All interrogative pronouns may function as subordinating conjunctions:

> (S)   (V)
> Er fragte uns, **wann wir** nach Hause **kämen.**
> *He asked us when we would come home.*

c. The inflected verb (V) always precedes the double infinitive:

$$\text{(S)} \qquad\qquad \text{(V)}$$
Sie sagte, daß sie den Hund hat bellen hören.
She said that she heard the dog barking.

B. Conjunctions

There are coordinating and subordinating conjunctions.

COORDINATING CONJUNCTIONS

The following conjunctions take normal word order:

aber	*but*
denn	*for*
oder	*or*
sondern	*but (on the contrary)*
und	*and*

SUBORDINATING CONJUNCTIONS

The following conjunctions take dependent word order:

als	*when*
als ob	*as if*
bevor	*before*
bis	*until*
da	*since, because*
damit	*so that*
daß	*that*
ehe	*before*
falls	*if*
nachdem	*after*
ob	*whether*

obgleich, obschon, obwohl	*although*
seitdem	*since*
sobald	*as soon as*
solange	*as long as*
sooft	*as often as*
während	*while*
weil	*because*
wenn	*if*
wenn auch	*even though*

chapter 6
PREPOSITIONS

There are four types of prepositions, those which take the dative, the accusative, the dative *or* accusative, and the genitive.

A. Dative Prepositions

The following prepositions always take the dative case:

aus	*out of, of, from*
außer	*besides, except*
bei	*with; near*
gegenüber	*opposite*
mit	*with*
nach	*after; to; according to*
seit	*since*
von	*from; by; of*
zu	*to; at*

B. Accusative Prepositions

The following prepositions always take the accusative case:

bis	*until*
durch	*through; by*
für	*for*
gegen	*against, toward*
ohne	*without*
um	*around, about; at (time)*
wider	*against*

C. Dative or Accusative Prepositions

The following prepositions take either the dative or the accusative case:

an	*at, to, on*
auf	*on, in, to*
hinter	*behind*
in	*in, into*
neben	*beside*
über	*over, about*
unter	*under, among*
vor	*before, ago*
zwischen	*between*

These prepositions take the *dative* case if *time* or *location* is expressed, and the *accusative* case if a *destination* is expressed:

Das Bild hängt **an der Wand.**   (location)
The picture hangs on the wall.

Er hängt das Bild **an die Wand.**   (destination)
He hangs the picture on the wall.

Note: If neither location nor destination can be determined, that is, if the meaning is abstract, a dictionary will indicate the required preposition and case.

D. Genitive Prepositions

The following prepositions always take the genitive case:

außerhalb	*outside of*
innerhalb	*within*
oberhalb	*above*
unterhalb	*below*
diesseits	*on this side of*
jenseits	*on that side of*
(an-)statt	*instead of*
trotz	*in spite of*
während	*during*
wegen	*on account of*
um ... willen	*for the sake of*

E. Contractions

Some prepositions governed by the dative or accusative case are frequently contracted with the definite article:

DATIVE		ACCUSATIVE	
am	= an dem	**ans**	= an das
beim	= bei dem	**aufs**	= auf das
im	= in dem	**durchs**	= durch das
vom	= von dem	**ins**	= in das
zum	= zu dem		
zur	= zu der		

F. <u>da</u>- and <u>wo</u>-Compounds

The prepositional compounds with **da-** and **wo-** often replace pronouns preceded by a preposition:

Ich fahre **mit dem Motorrad.**   Ich fahre **damit.**
I am riding the motorcycle.   *I am riding it.*

Womit fahre ich?   Es ist ein Motorrad, **womit** ich fahre.
What am I riding?   *It is a motorcycle I am riding.*

Note: **da-** and **wo**-compounds occur only in the dative or accusative case and only in reference to inanimate objects.

chapter 7
NUMERALS

CARDINAL NUMBERS	ORDINAL NUMBERS
0 null	
1 eins	1. der erste
2 zwei	2. der zweite
3 drei	3. der dritte
4 vier	4. der vierte
5 fünf	5. der fünfte
6 sechs	6. der sechste
7 sieben	7. der sieb(en)te
8 acht	8. der achte
9 neun	9. der neunte
10 zehn	10. der zehnte
11 elf	11. der elfte
12 zwölf	12. der zwölfte
13 dreizehn	13. der dreizehnte
14 vierzehn	14. der vierzehnte
15 fünfzehn	15. der fünfzehnte
16 sechzehn	16. der sechzehnte
17 siebzehn	17. der siebzehnte
18 achtzehn	18. der achtzehnte

19	neunzehn	19.	der neunzehnte
20	zwanzig	20.	der zwanzigste
21	einundzwanzig	21.	der einundzwanzigste
30	dreißig	30.	der dreißigste
40	vierzig	40.	der vierzigste
50	fünfzig	50.	der fünfzigste
60	sechzig	60.	der sechzigste
70	siebzig	70.	der siebzigste
80	achtzig	80.	der achtzigste
90	neunzig	90.	der neunzigste
100	(ein)hundert	100.	der (ein)hundertste
101	einhundert(und)eins	101.	der einhundert(und)erste
200	zweihundert	200.	der zweihundertste
1000	(ein)tausend	1000.	der tausendste
2000	zweitausend	2000.	der zweitausendste
1 000 000	eine Million	1 000 000.	der millionste
2 000 000	zwei Millionen	2 000 000.	der zweimillionste

FRACTIONAL NUMBERS

In fractions the numerator is expressed by a cardinal number and the denominator by a cardinal number plus the suffix **-tel** (from 4 through 19) or **-stel** (from 20 on). The denominators of 2 and 3 are irregular: 1/2 — **ein halb,** 1/3 — **ein Drittel.**

Note: Instead of the decimal point German uses the decimal comma: **2,5 (zwei Komma fünf)** = *2.5.*

part II
eadings
and
exercíses

chapter 1

Text A

LUCIEN GOLDMANN

Dialektischer Materialismus und Literaturgeschichte

Auszug mit Genehmigung der Redaktion, entnommen aus „Neue Rundschau", Band LXXV (1964), S. 214.

Jede Soziologie des geistigen Lebens geht[1] vom Einfluß der sozialen <u>Wirklichkeit</u> auf die literarische Schöpfung[2] aus. Für den dialektischen Materialismus ist dies ein fundamentales Postulat, wobei[3] er besonders die Bedeutung[4] der ökonomischen Faktoren und die Beziehungen[5] zwischen den sozialen Klassen betont[6]. Es gibt[7] jedoch zahlreiche 5

1. **aus-gehen von** to start with. 2. **die Schöpfung** creation. 3. **wobei** at which. 4. **die Bedeutung** significance. 5. **die Beziehung** relationship.
6. **betonen** to emphasize. 7. **es gibt** there are.

Schriftsteller[8] und Philosophen, die einen derartigen Einfluß leugnen[9].
Ihrer Meinung nach[10] werden die geistigen Werte durch die Verbindung mit den kontingenten Erscheinungen[11] des sozialen und
ökonomischen Lebens abgewertet[12]. Einige unter ihnen werden in
10 dieser Einstellung[13] noch durch den Wunsch bestärkt[14], den Marxis-
mus als eine hauptsächlich politische Ideologie zu bekämpfen[15], die
ihrer Meinung nach vor allem die materiellen Bedürfnisse[16] einer
ungebildeten[17] und den geistigen Werten gegenüber unaufgeschlos-
senen[18] Masse befriedigen[19] will.

15 Demgegenüber[20] ist zu betonen: die wahren geistigen Werte
können nicht vom ökonomischen und sozialen Leben abgetrennt
werden[21], sondern wirken[22] im Gegenteil[23] innerhalb dieses Lebens,
indem sie versuchen[24], die stärkstmögliche[25] menschliche Gemeinschaft[26] zu verwirklichen[27]. Das Problem, das uns hier jedoch
20 beschäftigt[28], ist viel begrenzter[29]: wir wollen bestimmte Prinzipien
einer dialektischen Literaturkritik herausarbeiten[30] und gleichzeitig
nach den Beziehungen zwischen der literarischen Schöpfung und dem
sozialen Leben fragen.

In der Soziologie — sei sie[31] nun marxistisch oder nicht — ist die
25 wissenschaftliche, positive Untersuchung[32] die einzige kompetente
Instanz, um[33] diese Frage zu beantworten. Wie jede andere Theorie,
ist auch die Behauptung[34] vom Einfluß der ökonomischen und
sozialen Faktoren auf die literarische Schöpfung kein Dogma, sondern
eine Hypothese, die nur in dem Maße gültig[35] ist, wie sie sich durch
30 Tatsachen[36] bestätigen[37] läßt. Die Diskussionen über diese Frage

---

8. **der Schriftsteller** writer.   9. **leugnen** to deny.   10. **ihrer Meinung nach**
according to their opinion.   11. **die Erscheinung** phenomenon.   12. (sie)
werden abgewertet (they) are devaluated.   13. **die Einstellung** attitude.
14. (sie) **werden bestärkt** (they) are confirmed.   15. **bekämpfen** to fight.
16. **das Bedürfnis** need.   17. **ungebildet** uneducated.   18. **unaufgeschlos-
sen** narrow-minded.   19. **befriedigen** to satisfy.   20. **demgegenüber** in
contrast to that.   21. **können abgetrennt werden** can be separated.   22.
(sie) **wirken** (they) show their effect.   23. **im Gegenteil** on the contrary.
24. **indem sie versuchen** by trying.   25. **stärkstmöglich** strongest possible.
26. **die Gemeinschaft** community.   27. **verwirklichen** to realize.   28. **beschäftigen** to concern.   29. **begrenzter** more limited.   30. **heraus-arbeiten**
to work out.   31. **sei sie** be it.   32. **die wissenschaftliche Untersuchung**
scientific research.   33. **um ... zu** in order to.   34. **die Behauptung** assertion.   35. **in dem Maße gültig** valid to that extent.   36. **die Tatsache** fact.
37. **bestätigen** to confirm.

haben aber eine Reihe[38] von Mißverständnissen hervorgerufen[39], die meistens von den Gegnern des dialektischen Materialismus aufgebracht[40], oft aber auch von einigen seiner Anhänger[41] übernommen[42] wurden, denen mehr daran gelegen war[43], sich zu verteidigen[44], als ihre Arbeiten positiv und wissenschaftlich zu begründen[45].   35

Exercises

Choose the most accurate equivalent:

1. Die moderne Geschichtsphilosophie des Abendlandes *geht von* Oswald Spengler *aus*.

   (A) hört mit . . . auf
   (B) fängt mit . . . an
   (C) nimmt mit . . . ab
   (D) kommt von . . . entgegen

2. *Es gibt* noch zahlreiche Aufgaben für die moderne Soziologie.

   (A) it gives
   (B) there is
   (C) there may be
   (D) there are

3. Es ist kaum zu *leugnen*, daß der Lebensstandard in der westlichen Welt ziemlich hoch ist.

   (A) glauben
   (B) rechtfertigen
   (C) bestreiten
   (D) erklären

---

38. **eine Reihe** a number.   39. **hervor-rufen** to cause.   40. **aufgebracht wurden** were caused.   41. **der Anhänger** follower.   42. **übernehmen** to accept.   43. **denen mehr daran gelegen war** who were more interested in. 44. **verteidigen** to defend.   45. **begründen** to substantiate.

4. Die jüngsten politischen Ereignisse *bestärken* den Präsidenten in seiner Außenpolitik.

   (A) unterstützen
   (B) verhindern
   (C) verkraften
   (D) verwirren

5. Viele rechtsgerichtete Parteien *bekämpfen sozialistische Ideen.*

   (A) bestreiten sozialistische Ideen
   (B) vertreten sozialistische Ideen
   (C) widersetzen sich sozialistischen Ideen
   (D) verteidigen sozialistische Ideen

6. Die Verhaltenspsychologie ist streng von der Pädagogik *zu trennen.*

   (A) zu scheiden
   (B) abzulehnen
   (C) zu beschützen
   (D) zu leugnen

7. Das Fernsehen *ruft* heute ernsthafte soziologische Probleme *hervor.*

   (A) hört . . . zu
   (B) erblickt
   (C) verursacht
   (D) teilt . . . mit

8. Manche Politiker *begründen* ihre Kandidatur durch altruistische Motive.

   (A) begraben
   (B) erheben
   (C) rechtfertigen
   (D) begreifen

Fill in or substitute the best expression:

1. The best translation of **Wirklichkeit** (text, line 2) is:

   (A) creativity
   (B) imagination
   (C) reality
   (D) effectiveness

2. Der dialektische Materialismus betont besonders _____.

   (A) die Eigentumsverhältnisse der Bourgeoisie
   (B) das Schicksal der Arbeiterklasse
   (C) das Verhältnis zwischen den verschiedenen Gesellschafts-
       schichten
   (D) die literarische Produktivität des Proletariats

3. Viele Intellektuelle meinen, daß geistige Werte durch _____
   negativ beeinflußt werden.

   (A) intensive Tätigkeit auf kulturellem Gebiet
   (B) das Studium der Geisteswissenschaften
   (C) wirtschaftliche und gesellschaftliche Faktoren
   (D) rege künstlerische Beschäftigung

4. Es ist die Absicht des Autors, das Verhältnis zwischen dem sozialen
   Leben und _____ herauszustellen.

   (A) dem dialektischen Materialismus
   (B) der schriftstellerischen Betätigung
   (C) den materiellen Bedürfnissen der Masse
   (D) dem ökonomischen Leben

5. According to the author the dependence between literary creativity
   and socio-economical factors _____.

   (A) can only be proven by scientific research
   (B) is a conceivable hypothesis
   (C) is a long established dogma
   (D) has led to the Marxistic theory

Text B

HARRY PROSS

Zur Situation der Publizistik[1] in Deutschland

Auszug mit Genehmigung des Verfassers Harry Pross und der Redaktion, entnommen aus „Neue Rundschau", Band LXXVI (1965), S. 657.

„Eine Meinung[2] ist mein; sie ist nicht ein in sich allgemeiner[3] Gedanke." Hegels Wortspiel, das man gelten lassen[4] kann, wenn es auch[5] das Wichtigste[6] an der Gegenüberstellung[7] mein und allgemein, das Gemeinsame[8], nicht hervorhebt[9], führt[10] in die Schwierigkeiten
5 der deutschen Publizistik von heute ein, richtiger[11]: der Publizistik in der Bundesrepublik Deutschland. Der Publizist will aus der Meinung eine „Deinung"[12], eine „Seinung" machen, er will das Seine[13] zum Allgemeinen erheben[14] — das nennt[15] man Meinungsbildung[16], und ihr steht[17] ein allgemeiner Gedanke entgegen, der seiner Natur nach[18]
10 traditionalistisch[19] ist. Überall in der Welt treffen[20] die produktiven Köpfe, wenn sie das Ihre verallgemeinern[21] wollen, auf die herrschenden Überlieferungen[22]. Schreiben, dichten, reden, schauspielen[23], malen, bilden[24], musizieren heißt allemal[25], den allgemeinen

1. **die Publizistik** journalism. 2. **die Meinung** opinion. 3. **allgemein** general. 4. **gelten lassen** to accept. 5. **wenn auch** although. 6. **das Wichtigste** the most important matter. 7. **die Gegenüberstellung** confrontation. 8. **das Gemeinsame** common cause. 9. **hervor-heben** to stress. 10. **ein-führen** to introduce. 11. **richtiger** more correctly. 12. „**Deinung**" your opinion; „**Seinung**" his opinion. 13. **das Seine** his opinion. 14. **erheben** to elevate. 15. **nennen** to call. 16. **die Meinungsbildung** formation of opinion. 17. **entgegen-stehen** to be opposed. 18. **seiner Natur nach** according to his nature. 19. **traditionalistisch** yearning for the traditional. 20. **treffen . . . auf** to face. 21. **verallgemeinern** to generalize. 22. **die herrschenden Überlieferungen** prevailing traditions. 23. **schauspielen** to act (in a play). 24. **bilden** to sculpture. 25. **(es) heißt allemal** it always means.

Gedanken prüfen, indem man ihn beim Wort nimmt, aufs Bild bringt[26], in Töne setzt[27] etcetera. Das Meine erprobt[28] das Allgemeine, und dabei stellt sich heraus[29], was ihnen gemeinsam ist. Es sind die Dritten[30]: das Volk, die Leser, das Publikum, die solche Gemeinsamkeit[31] zugeben[32] oder sie bestreiten[33]. Dabei sind alle Schattierungen[34] von Gemeinsamkeit möglich. Es wäre denkbar[35], daß eine Meinung sich mit der aller deckt[36], wie auch[37], daß sie ihr stracks zuwiderläuft[38]. Aber die Extreme entscheiden nichts; sie bestätigen bloß, was allgemein ist, oder sie bleiben so weit vom Allgemeinen entfernt, daß man ihre Autoren die Hofnarren[39] der Demokratie nennen kann.

Stellt[40] man sich den Weg von der Meinung zum allgemeinen Gedanken graphisch vor, sieht man ein Dreieck, dessen Spitze das Kommunikationsmittel bildet[41], und an dessen Basis der Autor und das Publikum einander gegenüberstehen[42]. Die in Deutschland noch herrschende Überlieferung begreift — im Gegensatz[43] zu den älteren Demokratien — diese Figur als unverrückbar[44], während sie doch nur die verschiedenen Positionen eines Gemeinsamen bezeichnet[45] und sich ständig verschiebt[46].

Exercises

Choose the most accurate equivalent:

1. Die Theorie von Malthus *läßt man* heute nicht mehr vollauf *gelten.*

   (A) macht sich . . . bezahlt
   (B) erkennt man . . . an
   (C) verwirft man
   (D) kennt man

---

26. **aufs Bild bringen** to express (an idea) pictorially.   27. **in Töne setzen** to express (an idea) musically.   28. **erproben** to test.   29. **sich heraus-stellen** to turn out.   30. **die Dritten** a third party.   31. **die Gemeinsamkeit** relationship.   32. **zu-geben** to admit.   33. **bestreiten** to contest.   34. **die Schattierung** nuance.   35. **es wäre denkbar** it is conceivable.   36. **sich decken** to coincide.   37. **wie auch** as well as.   38. **stracks zuwiderlaufen** to be directly opposed.   39. **der Hofnarr** court jester.   40. **sich vor-stellen** to imagine.   41. **bilden** to form.   42. **sich gegenüber-stehen** to face each other.   43. **im Gegensatz** in contrast.   44. **unverrückbar** unchangeable.   45. **bezeichnen** to express.   46. **verschieben** to shift.

2. In der heutigen Weltpolitik *hebt* man das Problem der Koexistenz immer wieder *hervor*.

   (A) verurteilt
   (B) versteht
   (C) entdeckt
   (D) betont

3. Der Geschichtsschreiber *leitet* sein Buch mit einem Zitat von Bismarck *ein*.

   (A) führt . . . vor
   (B) verführt
   (C) führt . . . ein
   (D) lehnt . . . ab

4. Die jetzige Regierungsform von Haiti kann man *als eine Diktatur bezeichnen*.

   (A) als eine Diktatur aufschreiben
   (B) eine Diktatur erwähnen
   (C) als eine Diktatur stürzen
   (D) eine Diktatur nennen

5. Bei Toynbee *trifft* man im allgemeinen auf eine positive Bewertung der Kulturentwicklung.

   (A) vermißt
   (B) stößt
   (C) erwartet
   (D) erkennt

6. In Deutschland *redet* man schon seit Jahren von einer notwendigen Bildungsreform.

   (A) verspricht
   (B) spricht
   (C) entspricht
   (D) versagt

7. Manche neue Ideen sind erst in der Praxis zu *prüfen*, ehe man sie zur Anwendung bringt.

   (A) üben
   (B) erproben
   (C) erfahren
   (D) erkennen

8. Es ist nicht ganz leicht, sich eine ideale Demokratie *vorzustellen.*

    (A) hervorzubringen
    (B) zu denken
    (C) vorzufinden
    (D) zu entdecken

Fill in or substitute the best expression:

1. The best translation of **Gedanke** (text, line 2) is:

    (A) thankfulness
    (B) thoughtfulness
    (C) idea
    (D) ideal

2. Es ist die Aufgabe eines Journalisten,_____.

    (A) zur Meinungsbildung beizutragen
    (B) die Meinung des Publikums zu übernehmen
    (C) auf eine eigene Meinung zu verzichten
    (D) ausschließlich die Meinung der Politiker zu vertreten

3. Das hier angegebene Hegelsche Zitat übersieht _____.

    (A) das Gemeinsame von „mein" und „allgemein"
    (B) die Tendenz des Publikums, zu verallgemeinern
    (C) den Unterschied zwischen „mein" und „dein"
    (D) die Meinung des Volkes

4. Der Journalismus ist das vermittelnde Bindeglied zwischen Autor und _____.

    (A) Publizist
    (B) Zeitschriftenverlag
    (C) Publikum
    (D) Verfasser

5. The position of journalism between author and public can be regarded closely interrelated _____.

    (A) in an authoritarian state
    (B) in a democracy
    (C) in an anarchy
    (D) in an oligarchy

chapter 2

Text A

ARNOLD TOYNBEE

Die Einigung[1] der Welt und die künftigen Entwicklungen

Auszug mit Genehmigung der Wissenschaftlichen Verlagsgesellschaft mbH, entnommen aus der Zeitschrift „Universitas", Band XXII (1967), S. 2–3.

Die Weltkarte hat sich heute so verändert[2], daß sie nicht mehr wiederzuerkennen ist[3]. Damals bestand[4] sie aus einem Gürtel von Kulturen, der die alte Welt von den japanischen Inseln im Nordosten bis zu den britischen Inseln im Nordwesten umschloß[5]: Japan, China,
5 Indochina, Indonesien, Indien, Dar-al-Islam, die orthodoxe Christen-

---

1. **die Einigung** unification. 2. **sich verändern** to change. 3. **wiedererkennen** to recognize. 4. **bestehen aus** to consist of. 5. **umschließen** to embrace.

heit von Rum[6] und eine weitere Christenheit im Westen. Obwohl dieser Gürtel sich in der Mitte von der nördlichen gemäßigten[7] Zone bis zum Äquator senkte[8] und so einen ziemlich weiten Bereich klimatischer Verschiedenheit und natürlicher Umgebung durchlief[9], war doch die soziale Struktur und der kulturelle Charakter dieser 10 Gesellschaften außerordentlich gleichförmig[10]. Jede von ihnen bestand aus einer breiten Masse von Bauern, die vielfach unter denselben Bedingungen lebte und arbeitete wie ihre Vorfahren[11] zur Zeit der etwa sechs- bis achttausend Jahre zurückliegenden[12] Erfindung[13] des Ackerbaues, und aus einer kleinen Minderheit[14] von Herrschern, die 15 im Alleinbesitz[15] der Macht waren und dazu noch über Reichtum, Muße, Wissen und Fertigkeiten[16] verfügten[17], die ihre Macht noch vergrößerten[18].

Es hatte in der Alten Welt schon früher einige solcher Kulturen gegeben[19]. Im Jahre 1500 nach Christus hatte man von einigen unter 20 ihnen noch Kenntnis, während andere (die seither von den neuzeitlichen westlichen Archäologen ans Licht gebracht wurden) vergessen waren. Außerdem gab es zu jener Zeit zwei Kulturen derselben Art in der Neuen Welt, von denen die in der Alten Welt nichts wußten, ja die selbst einander nur dürftig kannten[20]. Die lebenden Kulturen der 25 Alten Welt hatten Fühlung[21] miteinander, doch keine so enge, daß sie Mitglieder einer einzigen Gesellschaft gewesen wären[22] oder sich als solche gefühlt hätten[23].

Ihr Kontakt, wenn man ihn so nennen darf, war auf zwei verschiedenen Verkehrswegen[24] hergestellt und aufrechterhalten wor- 30 den[25]. Es gab[26] einen Seeweg, der dem neuzeitlichen Abendländer[27] als die Linie Tilbury — Kobe der Spanisch-Orientalischen Dampf-

---

6. **Rum** Byzantine empire.   7. **gemäßigt** moderate.   8. **sich senken** to extend.   9. **durch-laufen** to go through.   10. **gleichförmig** uniform.   11. **der Vorfahre** ancestor.   12. **zurückliegend** going back.   13. **die Erfindung** invention.   14. **die Minderheit** minority.   15. **der Alleinbesitz** sole possession.   16. **die Fertigkeit** know-how.   17. **verfügen über** to have.   18. **vergrößern** to increase.   19. **es hat gegeben** there were.   20. **einander kennen** to know each other.   21. **die Fühlung** contact.   22. **sie wären gewesen** they would have been.   23. **sie hätten sich gefühlt** they would have felt.   24. **der Verkehrsweg** route.   25. **es war hergestellt und aufrechterhalten worden** it had been established and maintained.   26. **es gab** there was.   27. **der Abendländer** occidental.

schiffahrtsgesellschaft[28] bekannt ist. Im Jahre 1500 nach Christus und
noch bis herauf zu den Tagen eines meiner Großonkel — er ist mir in
35 der Erinnerung an meine Kindheit noch lebhaft gegenwärtig[29] —, der
einen Passagiersegler[30] der „Löblichen Ostindischen Gesellschaft"
befehligte und vor dem Durchstich[31] des Suezkanals sich an Land zur
Ruhe setzte[32], ohne jemals an Bord eines Dampfers gedient zu haben,
wurde[33] die Wasserstraße, die durch eine Kette von Binnenmeeren[34]
40 führte, von einem Landtransportweg zwischen dem Mittelmeer und
dem Roten Meer oder zwischen dem Mittelmeer und dem Persischen
Golf unterbrochen. Auf der Mittelmeerstrecke[35] und dem japanischen
Teilstück[36] dieser Wasserstraße hatte oft lebhafter Verkehr geherrscht[37]
und von etwa 120 vor Christus an hatte sich eine ansteckende Welle[38]
45 maritimen Unternehmungsgeistes[39], ausgehend[40] von griechischen
Seeleuten aus Alexandrien, die den Weg nach Ceylon fanden, nach
Osten durch Indonesien hin fortgesetzt[41], bis sie polynesische Kanus
an die Osterinsel getragen hatten. Obgleich nun diese vor-westlichen
Seefahrer abenteuerlustig und romantisch veranlagt[42] waren, mußte
50 dennoch die von ihnen eröffnete Wasserstraße als Verkehrsweg
zwischen den Kulturen immer nur von untergeordneter[43] Bedeutung
bleiben.

Exercises

Choose the most accurate equivalent:

1. Die Kulturen *haben sich* ständig *gewandelt.*

   (A) sind abgestorben
   (B) sind untergegangen
   (C) haben sich entwickelt
   (D) haben sich verändert

---

28. **die Dampfschiffahrtsgesellschaft** steamship company.   29. **gegenwärtig sein** to be present.   30. **der Segler** sailboat.   31. **der Durchstich** cutting.   32. **sich zur Ruhe setzen** to retire.   33. **wurde unterbrochen** was interrupted.   34. **das Binnenmeer** inland sea.   35. **Die Mittelmeerstrecke** Mediterranean route.   36. **das Teilstück** section.   37. **herrschen** to prevail.   38. **eine ansteckende Welle** a contagious wave.   39. **der Unternehmungsgeist** adventural spirit.   40. **ausgehend von** starting with.   41. **fort-setzen** to continue.   42. **veranlagt sein** to have an inclination.   43. **untergeordnet** subordinate.

2. The book *consisted of* seventeen chapters.

   (A) bestand auf
   (B) entstand aus
   (C) bestand aus
   (D) überstand

3. Er *verfügte über* mehrere Wagen.

   (A) besaß
   (B) kaufte
   (C) verkaufte
   (D) bezahlte

4. Das Wort *ist mir entfallen.*

   (A) ist mir geläufig
   (B) habe ich verloren
   (C) habe ich vergessen
   (D) ist mir unbekannt

5. Er hatte sich als Mitglied der Gesellschaft *gefühlt.*

   (A) entwickelt
   (B) erkannt
   (C) empfunden
   (D) verkannt

6. Man *produzierte* früher viele Baumwoll-Textilien.

   (A) stellte . . . her
   (B) stellte . . . ein
   (C) verbrauchte
   (D) verarbeitete

7. Peter der Große hatte seine Reise nach Holland *fortgesetzt.*

   (A) disrupted
   (B) continued
   (C) delayed
   (D) taken

8. Der kleine Junge *störte* den Vater bei der Arbeit.

   (A) unterstützte
   (B) half
   (C) unterbrach
   (D) bewunderte

Fill in or substitute the best expression:

1. The best translation of **Bedingungen** (text, line 13) is:

   (A) laws
   (B) constitutions
   (C) hardships
   (D) conditions

2. Die soziale Struktur der alten Kulturen zwischen der nördlichen gemäßigten Zone und dem Äquator war ——————.

   (A) dekadent
   (B) recht unterschiedlich
   (C) ziemlich gleichförmig
   (D) chauvinistisch

3. Die Gesellschaft der alten Kulturen bestand primär aus ——————.

   (A) Bauern
   (B) Soldaten
   (C) Aristokraten
   (D) Bürgertum

4. Um 1500 n. Chr. kannten sich die Kulturen der Alten und der Neuen Welt ——————.

   (A) kaum
   (B) überhaupt nicht
   (C) ziemlich gut
   (D) bestens

5. Noch vor Christi Geburt hatte man jeglichen Seeverkehr nach Osten ——————.

   (A) unterbrochen
   (B) intensiviert
   (C) eingestellt
   (D) behindert

Text B

HANS SCHWALBE

Nationale Neubesinnung[1] in Japan

Auszug mit Genehmigung des Econ Verlages, entnommen aus
„Moderne Welt", Band VIII (1967), S. 279.

Die Akzentuierung, die in letzter Zeit nationale Gesichtspunkte[2] in der japanischen Öffentlichkeit[3] gefunden haben, hat viele ausländische Beobachter[4] beunruhigt[5]. Ihre Sorge[6] betraf[7] keineswegs allein die innerjapanische Entwicklung[8], in der man eine plötzliche Wendung[9] in Richtung auf den Vorkriegs-Nationalismus[10] erkennen[11]   5 zu können glaubte[12]. Sie betraf auch die Außenpolitik, auch die Beziehungen Japans zu seinen Nachbarländern.

Waren die seit 1966 verstärkte[13] Wirtschaftsdiplomatie, die Bemühungen[14] um eine führende Rolle im asiatischen Raum, die Forderung[15] nach asiatischer Politik und asiatischer Solidarität nicht   10 Ausfluß[16] eines verstärkten japanischen Nationalbewußtseins[17], das, wenn nicht feindlich[18], so doch kritisch dem Westen gegenüberstand[19]? Ähnliche Reaktion fand die Verlautbarung[20] des japanischen Außenministeriums, daß man dabei sei[21], Vorschläge[22] für eine *Asia-Pacific-Sphere* auszuarbeiten. Kaum war das bekannt geworden[23],   15 mußte sofort erläutert[24] werden, daß es sich nicht etwa um eine

1. **die Neubesinnung** reorientation.   2. **der Gesichtspunkt** aspect.   3. **die Öffentlichkeit** public.   4. **der Beobachter** observer.   5. **beunruhigen** to disturb.   6. **die Sorge** concern.   7. **betreffen** to affect.   8. **die Entwicklung** development.   9. **die Wendung** turn.   10. **der Vorkriegs-Nationalismus** pre-war nationalism.   11. **erkennen** to recognize.   12. **glauben** to believe.   13. **verstärken** to increase.   14. **die Bemühung** effort.   15. **die Forderung** demand.   16. **der Ausfluß** result.   17. **das Bewußtsein** consciousness.   18. **feindlich** hostile.   19. **gegenüber-stehen** to face.   20. **die Verlautbarung** announcement.   21. **man sei dabei** one was about to.   22. **der Vorschlag** proposal.   23. **bekannt werden** to become known.   24. **erläutern** to explain.

Wiederbelebung der berüchtigten[25] *Co-Prosperity-Sphere* handele[26]. Soll, so fragten besorgte Kritiker, die neue „Sphäre" nicht unter japanischem Vorzeichen[27] stehen? Ist sie nicht ein weiterer Schritt zu
20 dem, was im Ausland gern als „latenter Anti-Amerikanismus" bezeichnet wird[28]? Außer Frage steht[29] doch wohl, daß die negative Einstellung[30] der japanischen Bevölkerung[31] zum Vietnamkrieg auch zu einer erheblichen Abkühlung[32] des Verhältnisses zu Amerika geführt hat — mindestens im Bereich[33] der öffentlichen Meinung.
25 Immer deutlicher stellt sich in Japan die Frage[34], ob es willens und in der Lage sein wird[35], in Asien die Rolle zu übernehmen[36], die ihm seinen Kräften nach zusteht[37]. Mit anderen Worten: in diesen Jahren muß sich entscheiden[38], ob Japan innerlich, also national gefestigt[39] genug ist, um den schwächeren Nationen Asiens Vorbild[40], Schutz[41]
30 und Helfer sein zu können. Japan selbst, daran ist kein Zweifel[42], ist darum bemüht[43] — nach innen wie nach außen —, und zwar seit langem.

Für den aufmerksamen[44] Beobachter[45] ist das Sichtbarwerden[46] einer neuen Welle nationalen Denkens alles andere als überraschend[47],
35 zumal Japan dafür eine Reihe von natürlichen Voraussetzungen[48] mitbringt.

Exercises

Choose the most accurate equivalent:

1. In jüngster Zeit hat man wieder alte Papyrusrollen *gefunden*.

   (A) entwickelt
   (B) entdeckt

---

25. **berüchtigt** notorious.   26. **sich handeln um** to be a question of.
27. **das Vorzeichen** predominance.   28. **bezeichnet werden** to be called.
29. **außer Frage stehen** to be out of question.   30. **die Einstellung** attitude.   31. **die Bevölkerung** population.   32. **die Abkühlung** cooling.
33. **der Bereich** sphere.   34. **immer deutlicher stellt sich die Frage** more and more clearly arises the question.   35. **wird in der Lage sein** will be able.   36. **übernehmen** to take over.   37. **zu-stehen** to deserve.   38. **es muß sich entscheiden** it will turn out.   39. **gefestigt** firm.   40. **das Vorbild** example.   41. **der Schutz** protection.   42. **der Zweifel** doubt.
43. **bemüht sein** to endeavor.   44. **aufmerksam** attentive.   45. **der Beobachter** observer.   46. **das Sichtbarwerden** appearance.   47. **überraschend** surprising.   48. **die Voraussetzung** presupposition.

(C) erfunden
(D) entworfen

2. Die Produktionsstatistik von „General Motors" *betraf* die letzten zehn Jahre.

(A) beschloß
(B) zielte auf
(C) schätzte
(D) bezog sich auf

3. In Frankreich war es in den letzten Jahren nicht leicht, die Wahlbeteiligung der Bevölkerung *zu erkennen.*

(A) zu errechnen
(B) festzustellen
(C) auzusehen
(D) zu verstehen

4. Vor einiger Zeit *glaubte* man noch, daß das Problem der Überbevölkerung überhaupt nicht zu lösen sei.

(A) wußte
(B) zweifelte
(C) meinte
(D) riet

5. In der jüngsten Vergangenheit hat sich der Einfluß Rotchinas auf Südostasien *verstärkt.*

(A) vermindert
(B) erhoben
(C) vergrößert
(D) aufgehoben

6. Der Präsidentschaftskandidat hat sein Regierungsprogramm *erläutert.*

(A) erklärt
(B) erwiesen
(C) abgelehnt
(D) verurteilt

7. Man hat Sigmund Freud *als* den Begründer der Psychoanalyse *bezeichnet.*

(A) erledigt
(B) genannt
(C) verkannt
(D) zugelassen

8. Man *war* bisher nicht *in der Lage*, die Inflation einzudämmen.

(A) vermochte
(B) versuchte
(C) verlegte
(D) bestellte

Fill in or substitute the best expression:

1. The best translation of **Richtung** (text, line 5) is:
   (A) correction
   (B) direction
   (C) reaction
   (D) right

2. Die japanische Bevölkerung neigt seit einigen Jahren zum _____ .

   (A) Kommunismus
   (B) Kapitalismus
   (C) Nationalismus
   (D) Konföderationalismus

3. Ausländische Ostasien-Experten sind beunruhigt über _____ .

   (A) die japanische Automobil-Ausfuhr
   (B) Japans Handelsflotte
   (C) die japanische Außenpolitik
   (D) die Studentenunruhen in den japanischen Großstädten

4. Das Verhältnis zwischen Japan und den Vereinigten Staaten hat sich durch den Vietnamkrieg _____.

(A) verschlechtert
(B) nicht geändert
(C) verbessert
(D) berichtigt

5. It is a question of foremost importance for Japan to decide whether _____.

(A) she wants to maintain a democratic form of government
(B) she wants to become an economic competitor of the United States
(C) she wants to become a leading western-oriented nation in Asia
(D) or not to take up closer relations with Red China

chapter 3

Text A

LEOPOLD KLETTER

Die kosmische Raumfahrt[1] und ihr Nutzen[2] für unsere Lebensverhältnisse[3]

Auszug mit Genehmigung der Wissenschaftlichen Verlagsgesellschaft mbH, entnommen aus „Universitas", Band XXIV (1969), S. 181–182.

Mit Kosten von 20 Milliarden Dollar rechnen[4] die Amerikaner für die seit 1960 laufenden Vorbereitungen bis zu der noch vor diesem Sommer vorgesehenen[5] Landung von Astronauten auf dem Mond.

1. **die Raumfahrt** space travel.   2. **der Nutzen** use.   3. **die Lebensverhältnisse** living conditions.   4. **rechnen mit** to anticipate.   5. **vorgesehen** scheduled.

Der Aufwand[6] ist enorm, der Erfolg darf begeistern[7]. Der glückhafte[8] Mondbesuch hat zur Jahreswende[9] wieder das neue Raumzeitalter eindrucksvoll signalisiert. Es ist aber auch Anlaß[10], „Nebenergebnisse[11]" zu betrachten[12], die man als sehr aktuelle[13] Rentabilitäten registrieren kann.

„Die wirklich großen Gewinne[14] aus der Raumforschung liegen derzeit[15] noch jenseits des Horizonts, sie sind für uns Zeitgenossen[16] kaum erst sichtbar", erklärt Dr. Frederik Seitz, Präsident der Akademie der Wissenschaften der USA, bei der ersten Weltraumkonferenz der UN letzten Sommer in Wien. Wert und Bedeutung der Weltraumforschung und Weltraumfahrt werden erst einer späteren Generation voll bewußt werden[17], so wie erst spät erkannt wurde, welche Bedeutung die Entdeckung Amerikas für das Weltgeschehen[18] hatte. Mit dem Jahr 1957, mit dem ersten Flug des Sputnik um die Erde, hat das wissenschaftlich-technische Können unserer Zivilisation sozusagen „kosmisches Niveau"[19] erreicht.

Die Perfektion der Weltraumtechnik soll bis 1977 so weit fortgeschritten sein, daß es möglich sein wird, die Schwerefelder[20] der Planeten in der Weise auszunützen[21], daß Flüge im Weltraum ohne Aufwand[22] an Antriebsmitteln[23] durchgeführt[24] werden können. Durch eine entsprechende[25] kosmische Navigation zwischen den Schwerefeldern wird etwa der Flug zum fernen Planeten Neptun, der bei einem konventionellen Direktflug dreißig Jahre dauern würde, auf neun Jahre abgekürzt werden können. Im Jahre 1977 wird sich die spektakulärste Startgelegenheit für Raumflüge des nächsten Jahrzehnts ergeben[26]. Die Himmelsgeographie[27] wird sich in diesem Jahr so

---

6. **der Aufwand** expenses. 7. **begeistern** to enthuse. 8. **glückhaft** successful. 9. **die Jahreswende** turn of the year. 10. **der Anlaß** occasion. 11. **das Nebenergebnis** subsidiary result. 12. **betrachten** to consider. 13. **aktuell** acute. 14. **der Gewinn** gain. 15. **derzeit** at the present time. 16. **der Zeitgenosse** contemporary. 17. **etwas wird jemandem bewußt werden** someone will become aware of something. 18. **das Weltgeschehen** development of the world. 19. **das Niveau** proportions. 20. **das Schwerefeld** field of gravity. 21. **aus-nützen** to utilize fully. 22. **der Aufwand** use. 23. **das Antriebsmittel** means of propulsion. 24. **durch-führen** to carry out. 25. **entsprechend** corresponding. 26. **die Startgelegenheit für Raumflüge wird sich ergeben** the opportunity of starting space-flights will arise. 27. **die Himmelsgeographie** constellation.

30 günstig[28] gestalten[29], daß ein einziger Raumflugkörper[30], ausgestattet[31] mit großem Instrumentarium und Fernsehstationen[32], zu Jupiter, Saturn, Uranus und Neptun auf die Reise geschickt werden kann[33].

Exercises

Choose the most accurate expression or equivalent:

1. Der Computer _____ in Zukunft die gesamte Datenverarbeitung übernehmen.

   (A) will
   (B) wurde
   (C) wird
   (D) wollte

2. Der Ausbau der Autobahnen _____ noch lange nicht abgeschlossen _____.

   (A) wurde . . . gewesen
   (B) ist . . . geworden
   (C) wird . . . sein
   (D) will . . . werden

3. Mancher Wissenschaftler wird sich wohl über die Zukunft Gedanken gemacht _____.

   (A) haben
   (B) sein
   (C) werden
   (D) geworden sein

4. Der Senator wird seinen Vorschlag in der nächsten Sitzung *erklären*.

   (A) beweisen
   (B) bekräftigen
   (C) vermeiden
   (D) erläutern

---

28. **günstig** favorable.   29. **gestalten** to appear.   30. **der Raumflugkörper** spacecraft.   31. **aus-statten** to equip.   32. **die Fernsehstation** television station.   33. **auf die Reise schicken** to send on a trip.

5. Vieles, was wir heute erleben, *wird uns erst später bewußt werden.*

    (A) werden wir erst später erkennen
    (B) wird uns erst später bewußtlos machen
    (C) werden wir erst später bekennen
    (D) werden wir erst später wissentlich tun

6. Nicht jeder wird das Alter von 80 Jahren _____.

    (A) erreicht werden
    (B) erreicht worden sein
    (C) erreicht haben
    (D) erreichen

7. In wenigen Jahren wird es Telefon mit Bildschirm _____.

    (A) geben
    (B) ergeben
    (C) abgeben
    (D) aufgeben

8. Der Mensch _____ noch lange Zeit nicht das Wetter bestimmen können.

    (A) kann
    (B) darf
    (C) wird
    (D) werde

Fill in or substitute the best expression:

1. The best translation of **Bedeutung** (text, line 13) is:

    (A) interpretation
    (B) evaluation
    (C) explanation
    (D) significance

2. Der Autor beschäftigt sich in erster Linie mit _____.

    (A) der ersten Landung auf dem Mond
    (B) dem Problem der Schwerelosigkeit
    (C) dem ersten Sputnik
    (D) den Nebenprodukten der Raumfahrtforschung

3. In wenigen Jahren hofft die Weltraumtechnik so weit zu sein,
   daß man ——————.

   (A) stärkere Triebwerke bauen kann
   (B) Weltraumflüge ohne kostspielige Antriebsmittel durchführen
       kann
   (C) einen besseren Brennstoff entwickelt haben wird
   (D) gebündelte Lichtstrahlen als Antriebsmittel verwenden wird

4. Im Jahre 1977 wird die Planetenkonstellation für die Raumfahrt
   ——————.

   (A) äußerst günstig sein
   (B) schlechte Startverhältnisse bieten
   (C) Raumflüge unmöglich machen
   (D) unverändert sein

5. The author believes that the landing on the moon ——————.

   (A) will be the end of space travel
   (B) is only the beginning of further space research
   (C) is of no value
   (D) is a waste of money

Text B

OTTO SCHILLER

Der „Aufbau[1] des Sozialismus" in Entwicklungsländern[2]

Auszug mit Genehmigung des Econ Verlages, entnommen aus „Moderne Welt", Band VI (1965), S. 61.

Wenn man beruflich[3] in verschiedenen Ländern Asiens oder Afrikas zu tun hat und sich bemüht[4], die dortigen sozialökonomischen Vorgänge[5] zu verfolgen[6], deren Deutung[7] uns bisher nur sehr unvollkommen gelungen[8] ist, so kommt man zu der Erkenntnis[9], daß die übliche Unterscheidung[10] zwischen kommunistischen und nicht-kommunistischen Ländern der komplexen Problematik der Gegenwart nicht gerecht wird[11]. Offensichtlich haben wir es mit einer großen Vielfalt[12] der Wirtschafts- und Gesellschaftsordnungen[13] zu tun, so daß man nicht von einer zweigeteilten[14], sondern im besten Falle von einer dreigeteilten Welt sprechen könnte.

Auf der einen Seite stehen die fortgeschrittenen[15] Industrieländer, deren Wirtschafts- und Gesellschaftsordnungen manche gemeinsamen Merkmale[16], aber auch manche wesentlichen Unterschiede[17] voneinander[18] aufzuweisen[19] haben. Auf der anderen Seite stehen die

1. **der Aufbau** development.   2. **das Entwicklungsland** underdeveloped country.   3. **beruflich** professionally.   4. **sich bemühen** to endeavor. 5. **der Vorgang** process.   6. **verfolgen** to pursue.   7. **die Deutung** interpretation.   8. **ist unvollkommen gelungen** has been insufficiently established. 9. **zur Erkenntnis kommen** to realize.   10. **die Unterscheidung** differentiation.   11. **gerecht werden** to do justice.   12. **die Vielfalt** variety.   13. **die Wirtschafts- und Gesellschaftsordnung** economic and social order. 14. **zweigeteilt** divided into two.   15. **fortgeschritten** advanced.   16. **das Merkmal** characteristic.   17. **der wesentliche Unterschied** essential difference.   18. **voneinander** between each other.   19. **auf-weisen** to show.

15 kommunistischen Länder, bei denen es sich nicht mehr um einen
monolithischen und einheitlich ausgerichteten Block[20] handelt[21]. Es
sind Wirtschafts- und Gesellschaftsordnungen, die zwar nach denselben
Leitbildern[22] der kommunistischen Lehre[23] ausgerichtet sind, aber
neuerdings doch in manchen Ländern Abweichungen[24] von dem
20 zunächst als Vorbild geltenden[25] sowjetischen Muster[26] erkennen
lassen. Dazwischen stehen die Entwicklungsländer, die sich teilweise
noch im Zustand[27] der überkommenen[28] Sozialstruktur befinden[29],
zum großen Teil jedoch in einem raschen Wandel[30] ihrer Wirtschafts-
und Gesellschaftsordnung begriffen sind. Es ist bezeichnend[31], daß für
25 diesen Wandlungsprozeß bei einer ganzen Anzahl[32] von Entwicklungsländern als Leitbild der sogenannte „Aufbau des Sozialismus" dient[33].
Als Beispiele[34] hierfür seien[35] in Südostasien Burma und Indonesien
und in Nordafrika Ägypten und Algerien genannt, Länder, die der
Verfasser[36] in den letzten beiden Jahren besucht[37] hat.
30   Wenn man sich in diesen Ländern aufhält[38], sieht man sich vor die
Frage gestellt, worin sie sich letzten Endes[39] von den kommunistischen
Ländern unterscheiden werden, wenn sie ihrem Ziele[40], d.h.[41] dem
„Aufbau des Sozialismus", noch näher gekommen sind, als es schon
heute der Fall ist. Auf eine solche Frage wird bei politischen Ge-
35 sprächen[42] an Ort und Stelle[43] gewöhnlich[44] geantwortet, daß man
ja nicht den Kommunismus, sondern den Sozialismus, und zwar einen
Sozialismus nationaler Prägung[45], anstrebe[46]. Diese Antwort kann
aber deswegen nicht befriedigen[47], weil sie die Tatsache unberücksichtigt läßt[48], daß es auch in den kommunistischen Ländern keinen

---

20. **der einheitlich ausgerichtete Block** uniformly oriented block.   21. **sich
handeln um** to be a question of.   22. **das Leitbild** model.   23. **die Lehre**
doctrine.   24. **die Abweichung** deviation.   25. **als Vorbild geltend** being
an example.   26. **das Muster** pattern.   27. **der Zustand** condition.   28.
überkommen traditional.   29. **sich befinden** to be.   30. **im raschen
Wandel begriffen sein** to be in the process of rapid change.   31. **bezeichnend**
characteristic.   32. **eine ganze Anzahl** quite a number.   33. **dienen** to serve.
34. **das Beispiel** example.   35. **seien genannt** be named.   36. **der Verfasser**
author.   37. **besuchen** to visit.   38. **sich aufhalten** to stay.   39. **letzten
Endes** after all.   40. **das Ziel** goal.   41. **d.h.** (= **das heißt**) that means.
42. **das Gespräch** discussion.   43. **an Ort und Stelle** right away.   44.
gewöhnlich usually.   45. **die Prägung** character.   46. **an-streben** to
strive for.   47. **befriedigen** to satisfy.   48. **unberücksichtigt lassen** to
ignore.

Kommunismus gibt, sondern einen Zustand, der nach der offiziellen 40
Lesart[49] der Kommunisten ebenfalls als „Sozialismus" bezeichnet
wird.

Exercises

Choose the most accurate expression or equivalent:

1. Der UNO-Vorsitzende _____ in den arabischen Ländern
   noch mancherlei zu tun haben.

   (A) wird
   (B) hat
   (C) willst
   (D) wurde

2. Die Psychologie wird *sich* weiterhin *bemühen,* die Erziehungs-
   wissenschaft zu modernisieren.

   (A) bearbeiten
   (B) vermeiden
   (C) versuchen
   (D) vermitteln

3. *Es wird ihm wohl nicht gelungen sein,* so früh sein Referendar-Examen
   abzulegen.

   (A) er wird wohl keinen Erfolg gehabt haben
   (B) es wird wohl seine Absicht gewesen sein
   (C) er wird wohl in der Lage gewesen sein
   (D) er wird wohl in Zweifel gezogen haben

4. Man wird *zu der Erkenntnis kommen* müssen, daß die friedliche
   Koexistenz die einzige dauerhafte Lösung ist.

   (A) die Kenntnis erlangen
   (B) den Fortschritt verzögern
   (C) zu der Einsicht gelangen
   (D) ein Abkommen treffen

49. **die Lesart** interpretation.

5. Die moderne Industriegesellschaft wird immer mehr pathologische
   Anzeichen *erkennen lassen*.

   (A) aufweisen
   (B) wiederentdecken
   (C) entbehren
   (D) beweisen lassen

6. Wir *befinden uns* erst im Anfangsstadium des Atomzeitalters.

   (A) bleiben
   (B) sind
   (C) finden . . . statt
   (D) empfinden uns

7. Der „Contrat Social" von Rousseau wird noch lange als Vorbild
   für eine demokratische Verfassung *gelten*.

   (A) dienen
   (B) bezwecken
   (C) begründen
   (D) verteidigen

8. Once in a while foreign tourists *visit* German theaters.

   (A) versuchen
   (B) untersuchen
   (C) besuchen
   (D) ersuchen

Fill in or substitute the best expression:

1. The best translation of **Gegenwart** (text, line 6) is:

   (A) presence
   (B) opposition
   (C) present
   (D) contrary

2. Die Beurteilung der sozialökonomischen Situation in einigen asiatischen und afrikanischen Entwicklungsländern _____.

   (A) läßt sich mühelos durchführen
   (B) hat sich als unmöglich herausgestellt
   (C) ist bis heute nur zum Teil geglückt
   (D) ist auf erheblichen politischen Widerstand gestoßen

3. Die herkömmliche Klassifizierung von Entwicklungsländern auf Grund _____ hat sich als unzulänglich erwiesen.

   (A) der Bevölkerungsdichte
   (B) der militärischen Machtstellung
   (C) ihrer politischen Orientierung
   (D) ihres wirtschaftlichen Potentials

4. Die sozialistische Orientierung in den kommunistischen Ländern folgte zunächst in erster Linie dem _____ Vorbild.

   (A) westeuropäischen
   (B) chinesischen
   (C) russischen
   (D) kubanischen

5. The leading principle of development of the underdeveloped countries was primarily _____.

   (A) the construction of heavy industry
   (B) economic autonomy
   (C) the socialistic ideology
   (D) the exploitation of natural resources

chapter 4

Text A

CURT ULLERICH

Gefährliches Spiel und
großer Verrat

*Auszug mit Genehmigung des Verlages Hinder & Deelmann,
entnommen aus „Zeitschrift für Geopolitik", Band XV (1967),
S. 147.*

Auftakt[1] zum Präventivkrieg.

Die erste Nutzanwendung[2] dieser Lehre[3] zog[4] der israelische
Stabschef[5] General Rabin im April mit einer Erklärung, die zugleich[6]
die wachsenden[7] amerikanischen Klagen[8] über den Fehlschlag[9] der

---

1. **der Auftakt** prelude.   2. **die Nutzanwendung** consequence.   3. **die
Lehre** theory.   4. **ziehen** to draw.   5. **der Stabschef** chief of staff.   6.
zugleich at the same time.   7. **wachsen** to grow.   8. **die Klage** complaint.
9. **der Fehlschlag** failure.

Manöver gegen den Baath in Syrien beantwortete. Rabin sagte, 5
Israel müsse jetzt einen Präventivkrieg gegen Syrien ins Auge fassen[10],
um die Linkssozialisten in Damaskus zu beseitigen[11].

Das lieferte[12] bekanntlich den Auftakt zur akuten Krise. Alarmiert
durch die offenen Angriffsrufe[13] gegen Syrien, drohte[14] Nasser
zunächst[15] mit dem Eingreifen[16] Ägyptens, verlangte[17] dann zur 10
Freimachung des Kampfweges[18] den Abzug[19] der UNO-Streitmacht[20]
aus dem Grenzstreifen[21] am Sinai und besetzte[22] schließlich die
Straße von Tiran.

Völkerrechtlich[23] waren diese Schritte[24] nicht unerlaubt[25], denn
Kairo befand[26] sich seit 1948 mit Israel im Kriegszustand[27] und hatte 15
sich nie zu einer Duldung[28] des israelischen Transitverkehrs[29] durch
die ägyptischen Gewässer[30] von Tiran verpflichtet[31]. Politisch
hingegen[32] spielte Kairo mit dem Feuer, denn diese Schritte nach
vorn[33] bedeuteten, daß es den Status quo von 1956 zu seinen Gunsten[34]
veränderte[35] und offenbar[36] bereit[37] war, ihn weiter zu verändern. 20

Immer im Sinne[38] einer rationalen Israel-Politik verfahrend[39],
hätte dieses Vorgehen[40] einen realen Sinn[41] gehabt, wenn Nasser jetzt
Jerusalem explizite aufgefordert[42] hätte, direkt oder über Mittelsleute[43] das gesamte Palästina-Problem auf den Verhandlungstisch[44]
zu legen: die Flüchtlingsfrage[45], die Landverbindung[46] zwischen der 25
ost- und westarabischen Sphäre quer durch[47] den Negev, der Jordan-
kanalisation, die Transitrechte[48] bei Tiran und Suez usw.[49]. Aber

---

10. **ins Auge fassen** to consider.   11. **beseitigen** to eliminate.   12. **liefern**
to initiate.   13. **der Angriffsruf** provocation.   14. **drohen** to threaten.   15.
zunächst first of all.   16. **das Eingreifen** interference.   17. **verlangen** to
demand.   18. **der Kampfweg** battle area.   19. **der Abzug** withdrawal.
20. **die Streitmacht** armed forces.   21. **der Grenzstreifen** border strip.   22.
besetzen to occupy.   23. **völkerrechtlich** pertaining to international law.
24. **der Schritt** step.   25. **nicht unerlaubt** permitted.   26. **sich befinden**
to be.   27. **der Kriegszustand** state of war.   28. **die Duldung** toleration.
29. **der Verkehr** traffic.   30. **das Gewässer** waters.   31. **sich verpflichten**
to commit oneself.   32. **hingegen** however.   33. **nach vorn** forward.   34.
zu seinen Gunsten to one's advantage.   35. **verändern** to change.   36.
offenbar obviously.   37. **bereit sein** to be ready.   38. **im Sinne** in the
interest.   39. **verfahren** to act.   40. **das Vorgehen** action.   41. **einen Sinn
haben** to make sense.   42. **auf-fordern** to summon.   43. **der Mittelsmann**
(pl.: **die Mittelsleute**) mediator.   44. **der Verhandlungstisch** negotiation
table.   45. **der Flüchtling** refugee.   46. **die Landverbindung** territory.
47. **quer durch** across.   48. **das Recht** right.   49. **usw. (und so weiter)** etc.

solche Aufforderung unterblieb[50]. Statt dessen[51] ließ[52] sich der Rais[53]
auf die maßlose[54], vulgäre Rabulistik[55] der Drohungen mit der
30 nahenden[56] Vernichtung[57] Israels ein. Hier liegt ein entscheidender
und nicht zufälliger[58] Kardinalfehler der ägyptischen Politik. Nasser
glaubte nicht nur, gegenüber Israel der Stärkere zu sein, sondern auch
sich in einer Position der Stärke gegenüber den Westmächten zu
befinden, die jeden neuen Machtzuwachs[59] des Rais als akuten Schlag[60]
35 gegen ihre eigenen Interessen empfanden[61], gleich ob zu Recht oder
Unrecht[62].

Exercises

Choose the most accurate expression or equivalent:

1. Der Präsident kündigte an, daß er verschiedene Länder besuchen
   _____.

   (A) gewollt hatte
   (B) gewillt sei
   (C) wolle
   (D) wollen werde

2. Der Einfluß der japanischen Automobilindustrie auf dem amerikanischen Markt *nimmt* von Tag zu Tag *zu.*

   (A) verringert sich
   (B) wächst
   (C) sinkt
   (D) wechselt

3. Die *Klagen* über die Studentenunruhen beschäftigen die Bevölkerung.

   (A) Schwierigkeiten
   (B) Beschwerden

---

50. **unterbleiben** not to take place.   51. **statt dessen** instead.   52. **sich ein-
lassen auf** to react.   53. **der Rais** here: Nasser.   54. **maßlos** immense.
55. **die Rabulistik** pettifoggery.   56. **nahend** imminent.   57. **die Vernichtung** destruction.   58. **zufällig** incidental.   59. **der Machtzuwachs** increase
of power.   60. **der Schlag** blow.   61. **empfinden** to regard.   62. **gleich ob
zu Recht oder Unrecht** whether it was right or wrong.

(C) Auswirkungen
(D) Ergebnisse

4. Wenn die Wahl heute stattfände, _____ die Opposition wahrscheinlich siegen.

   (A) wurde
   (B) wäre
   (C) würde
   (D) hätte

5. Es ist ratsam, einen potentiellen Angriff des Gegners *ins Auge zu fassen*.

   (A) in Betracht zu ziehen
   (B) in Beziehung zu setzen
   (C) auszuklammern
   (D) vorwegzunehmen

6. Die schwarze Bevölkerung der USA *verlangt* soziale Anerkennung.

   (A) befördert
   (B) verlängert
   (C) verlangsamt
   (D) fordert

7. Der Außenminister *befindet sich* zur Zeit auf Auslandsreisen.

   (A) verbringt
   (B) ist
   (C) begibt sich
   (D) besucht

8. Anasthasia behauptet, daß sie die Tochter des russischen Zaren _____.

   (A) sei
   (B) sein würde
   (C) gewesen wäre
   (D) werde

Fill in or substitute the best expression:

1. The best translation of **Erklärung** (text, line 3) is:

   (A) explanation
   (B) declaration
   (C) decision
   (D) judgement

2. Rabin war der Auffassung, daß Israel ――――――.

   (A) mit Syrien einen Friedensvertrag abschließen solle
   (B) mit Syrien einen Nichtangriffspakt unterzeichnen solle
   (C) gegen Syrien einen Präventivkrieg führen solle
   (D) mit Syrien ein Bündnis eingehen solle

3. Nasser forderte ――――――.

   (A) den Abzug der israelischen Truppen aus der UNO-Streitmacht
   (B) den Abzug der UNO-Truppen aus dem Grenzstreifen von Sinai
   (C) die Erhöhung der israelischen Truppen im Kampfgebiet
   (D) die Besetzung Ägyptens

4. Die Besetzung der Straße von Tiran bedeutete für Ägypten ――――――.

   (A) eine akute Gefahr
   (B) die einzige Lösung
   (C) die Beibehaltung des Status quo
   (D) eine Erhöhung der eigenen Sicherheit

5. Der entscheidende Fehler der ägyptischen Außenpolitik war ――――――.

   (A) der Verlaß auf die sowjetische Unterstützung
   (B) die Unterschätzung der israelischen Streitmacht
   (C) die Drohung mit der Vernichtung Israels
   (D) der Einsatz von UNO-Truppen

Text B

FRIEDRICH GEORG FRIEDMANN

Amerikanisches und deutsches Universitätssystem—Ein Vergleich[1]

Auszug mit Genehmigung des Carl Heymann Verlages, entnommen aus „Zeitschrift für Politik", Band XIII (1966), S. 309–310.

Die Übernahme[2] von amerikanischen Einrichtungen[3], wie etwa[4] des Department-Systems, der Zwischenprüfungen[5], des Magistergrads, wie sie heute in einer Anzahl deutscher Universitäten zu beobachten[6] ist, läßt es nützlich[7] erscheinen, diese und andere Aspekte des amerikanischen College- und Universitätssystems in ihren funktionalen 5 und historischen Zusammenhängen innerhalb der Vereinigten Staaten selbst zu betrachten[8].

Der Ausdruck[9] „amerikanisches College- und Universitätssystem" darf im Gegensatz[10] zum deutschen Universitätssystem nur im übertragenen Sinne[11] verstanden werden. In der Bundesrepublik fallen 10 die bestehenden[12] Universitäten, trotz mannigfacher[13] Unterschiede im großen und ganzen[14] unter ein einheitliches[15] Schema[16]. Die Länderregierungen sind durch ihre Kultusministerien[17] für die Finanzierung der in ihrem Bereich[18] liegenden Universitäten verantwortlich[19], Berufungen[20] und eine Vielfalt[21] von Verwaltungsakten[22] 15

1. **der Vergleich** comparison.   2. **die Übernahme** take-over.   3. **die Einrichtung** institution.   4. **etwa** for example.   5. **die Zwischenprüfung** midterm examination.   6. **beobachten** to observe.   7. **nützlich** useful.   8. **betrachten** to discuss.   9. **der Ausdruck** expression.   10. **der Gegensatz** contrast.   11. **im übertragenen Sinne** in a figurative sense.   12. **bestehen** to exist.   13. **mannigfach** various.   14. **im großen und ganzen** on the whole.   15. **einheitlich** uniform.   16. **das Schema** pattern.   17. **das Kultusministerium** Department of Education.   18. **der Bereich** realm.   19. **verantwortlich** responsible.   20. **die Berufung** call.   21. **die Vielfalt** multiplicity.   22. **der Verwaltungsakt** administrative action.

werden von den Kultusministerien vollzogen[23]; Abiturienten[24] haben
das Recht, frei eine Universität innerhalb der Bundesrepublik auszu-
wählen[25] und zu beziehen[26], Studenten haben weiterhin[27] das Recht
der Freizügigkeit[28], was besagt[29], daß sie einige Semester an einer
20 anderen Universität studieren können; auch was die Qualität des
Unterrichts[30] und der Forschung[31] an den verschiedenen deutschen
Universitäten betrifft[32], sind die Leistungen[33], trotz erheblicher[34]
Unterschiede, im wesentlichen[35] vergleichbar. Dieses Bild relativer
Einheitlichkeit wird heute durch die Arbeiten[36] von Gremien[37], wie
25 der Kultusministerkonferenz, der westdeutschen Rektorenkonferenz,
des Wissenschaftsrats[38] usw., ergänzt[39], die sich auf bundesdeutscher
Ebene[40] mit den dringendsten[41] Fragen innerhalb des Universitäts-
bereichs beschäftigen[42].

In den Vereinigten Staaten dagegen gibt es weder auf Bundesebene
30 noch in den einzelnen Staaten Kultusministerien, denen Verwaltung,
Finanzierung oder Aufsicht[43] über Colleges und Universitäten
obliegen[44] könnten. Die *Departments of Education* der Einzelstaaten[45]
haben selbst[46] auf dem Gebiet der Volks- und Mittelschulen nur ein
beschränktes[47] Mitspracherecht[48]. In der Bundesregierung war bis
35 vor kurzem[49] das *Department of Education* nur eine Unterabteilung[50]
eines größeren Ministeriums. Seine Aufgaben[51] gingen[52] kaum über
die Aufstellung[53] und Auswertung[54] von Statistiken hinaus. Heute
reicht[55] seine Kompetenz immerhin[56] so weit, daß ihm die Bundes-
finanzhilfe für ärmere[57] Einzelstaaten zur Verbesserung[58] der Volks-

---

23. **vollziehen** to make. 24. **der Abiturient** graduate. 25. **aus-wählen** to
select. 26. **beziehen** to matriculate in. 27. **weiterhin** furthermore. 28. **das
Recht der Freizügigkeit** freedom of choice. 29. **besagen** to mean. 30. **der
Unterricht** instruction. 31. **die Forschung** research. 32. **betreffen** to
concern. 33. **die Leistung** achievement. 34. **erheblich** considerable. 35.
im wesentlichen essentially. 36. **die Arbeit** effort. 37. **das Gremium**
board. 38. **der Wissenschaftsrat** academic council. 39. **ergänzen** to
supplement. 40. **die Ebene** level. 41. **dringend** urgent. 42. **sich beschäftigen** to concern oneself. 43. **die Aufsicht** supervision. 44. **obliegen**
to be responsible for. 45. **der Einzelstaat** individual state. 46. **selbst** even.
47. **beschränkt** limited. 48. **das Mitspracherecht** voice. 49. **bis vor
kurzem** until recently. 50. **die Unterabteilung** subdivision. 51. **die
Aufgabe** responsibility. 52. **hinaus-gehen über** to exceed. 53. **die Aufstellung** tabulation. 54. **die Auswertung** evaluation. 55. **reichen** to
extend. 56. **immerhin** nevertheless. 57. **arm** poor. 58. **die Verbesserung** improvement.

und Mittelschulen übertragen[59] wurde — eine wichtige politische
Aufgabe, vor allem, da Schulverwaltungen, die farbige[60] Schüler oder
Lehrer diskriminieren, von dieser Hilfe ausgeschlossen[61] werden
können. 40

Da es aber keine eigentlichen[62] Kultusministerien gibt, muß man
sich fragen: Wer ist der Träger[63] der amerikanischen Colleges und
Universitäten, wer finanziert, wer verwaltet sie, wer setzt die
Maßstäbe[64] für Forschung und Lehre? 45

Exercises

Choose the most accurate expression or equivalent:

1. Toynbee hat eine ganze *Anzahl* von Büchern geschrieben.

   (A) Rechnung
   (B) Reihe
   (C) Nummer
   (D) Aufzählung

2. Es wäre anerkennenswert, wenn der Staat mehr Geld für den
   Straßenbau *ausgeben würde*.

   (A) ausgab
   (B) ausgegeben hätte
   (C) ausgäbe
   (D) ausgegeben haben wird

3. *Im großen und ganzen* hat sich die amerikanische Außenpolitik von
   Dean Acheson bewährt.

   (A) Insbesondere
   (B) Vor allem
   (C) In erster Linie
   (D) Im allgemeinen

---

59. **übertragen** to assign.   60. **farbig** colored.   61. **aus-schließen** to
exclude.   62. **eigentlich** actual.   63. **der Träger** responsible authority.
64. **der Maßstab** standard.

4. Das Kultusministerium ist für das Bildungswesen *verantwortlich*.

   (A) zulässig
   (B) zutreffend
   (C) zuständig
   (D) vortrefflich

5. _____ der Angeklagte seine Tat nicht geleugnet, wäre er gewiß verurteilt worden.

   (A) Wäre
   (B) Sei
   (C) Hätte
   (D) Würde

6. Was den Lebensstandard in Japan *betrifft*, ist der Fortschritt in den letzten Jahren ganz beachtlich.

   (A) angeht
   (B) bezeichnet
   (C) bewertet
   (D) andeutet

7. Die Enzyklopädie wird jedes Jahr um einen Band *ergänzt*.

   (A) verallgemeinert
   (B) vervollständigt
   (C) erfüllt
   (D) vereinheitlicht

8. Der Verbrecher gestand, daß er den Mord _____.

   (A) beginge
   (B) begangen habe
   (C) begehen werde
   (D) begeht

Fill in or substitute the best expression:

1. The best translation of **Gebiet** (text, line 33) is:

   (A) surrounding
   (B) development
   (C) area
   (D) territory

2. Das amerikanische Bildungswesen hat bisher auf das deutsche Hochschulsystem —————— Einfluß gehabt.

   (A) überhaupt keinen
   (B) einen beträchtlichen
   (C) einen geringen
   (D) einen destruktiven

3. In Deutschland haben die Abiturienten das Recht, ——————.

   (A) an den Bundestagswahlen teilzunehmen
   (B) Berufungen an den Universitäten vorzunehmen
   (C) die Hochschule zu besuchen
   (D) den Hochschulrektor zu wählen

4. In Deutschland liegt die Zuständigkeit für die Finanzierung der Universitäten bei ——————.

   (A) den Studenten
   (B) den Universitätsstädten
   (C) dem Bundeskultusministerium
   (D) den Kultusministerien der Länder

5. Der Einfluß des „Department of Education" in Amerika auf die Colleges und Universitäten ist ——————.

   (A) außerordentlich groß
   (B) stärker als in Deutschland
   (C) relativ unbedeutend
   (D) geringer als je zuvor

chapter 5

Text A

CARL CHRISTIAN VON WEIZSÄCKER

Die permanente Berufsausbildung[1] in der heutigen Gesellschaft

*Auszug mit Genehmigung der Wissenschaftlichen Verlagsgesell-
schaft mbH, entnommen aus „Universitas", Band XXIII (1968),
S. 1249–50.*

Die Lehre[2] von dem großen Wert der Arbeitsteilung[3] für die
Gesellschaft hat eine lange abendländische[4] Tradition. Schon bei
Platon sehen wir im „Staat", wie Sokrates die Gründung des Staates
mit der Notwendigkeit der Arbeitsteilung motiviert.

---

1. **die Berufsausbildung** vocational education.   2. **die Lehre** doctrine.
3. **die Arbeitsteilung** division of labor.   4. **abendländisch** occidental.

Später ist die Arbeitsteilung ein zentraler Gedanke in dem Werk des 5
schottischen Ökonomen Adam Smith, der die klassische Zeit der
Nationalökonomie einleitete[5].

Heute ist das Prinzip der Arbeitsteilung auf die Spitze getrieben[6].
Das moderne Spezialistentum[7] ist unabdingbar[8] für die hohe
Produktivität der Industriegesellschaft. Wirtschaft[9], Verwaltung[10], 10
Schul- und Hochschulsystem[11], die Streitkräfte[12], die Medizin, die
Forschung, alle profitieren sie von diesem Prinzip einer starken
Spezialisierung der Tätigkeiten, und alle sind sie in einem Maß[13]
darauf angewiesen[14], wie sie es früher wohl[15] nicht gewesen sind.

Aber gerade die großen Fortschritte in der Wissenschaft, in der 15
Technik, die mit Hilfe des Prinzips der Spezialisierung erreicht[16]
wurden, machen dieses System der starken Arbeitsteilung auch wieder
fragwürdig. Denn der technische Fortschritt führt dazu[17], daß viele
Spezialkenntnisse sehr schnell veralten[18], daß andere Spezialkenntnisse
auftreten[19] und die dafür benötigten Menschen[20] nicht rechtzeitig 20
ausgebildet werden können. Es besteht[21] die Gefahr für den einzelnen[22], für eine falsche Spezialität ausgebildet worden zu sein, schon
sehr bald nachdem er diese Ausbildung erhalten hat. Es besteht die
Gefahr für ihn, von seinem Arbeitsplatz durch den technischen
Fortschritt einfach hinweggeschwemmt[23] zu werden. Hier könnte man 25
erinnern an das Wort des amerikanisch-englischen Philosophen
Whitehead: *„Knowledge does not keep any better than fish"* — „Wissen hält
sich nicht besser als Fisch."

Als Maxime einer neuen Bildungspolitik könnten wir versuchen,
dieses Wort zu benutzen[24], und wir müßten uns jetzt fragen, wie 30
diese Bildungspolitik auszusehen hat[25].

---

5. **ein-leiten** to initiate.   6. **ist auf die Spitze getrieben** has reached extreme
proportions.   7. **das moderne Spezialistentum** modern trend of specialization.
8. **unabdingbar** inevitable.   9. **die Wirtschaft** economy.   10. **die Verwaltung** administration.   11. **das Schul- und Hochschulsystem** public
school and university system.   12. **die Streitkräfte** armed forces.   13. **in
einem Maß** to a degree.   14. **darauf angewiesen sein** to depend on.   15.
wohl probably.   16. **erreichen** to accomplish.   17. **dazu führen** to lead to.
18. **veralten** to become obsolete.   19. **auf-treten** to appear.   20. **die dafür
benötigten Menschen** people needed for this purpose.   21. **bestehen** to exist.
22. **der einzelne** individual.   23. **von seinem Arbeitsplatz hinweggeschwemmt werden** to lose one's job.   24. **benutzen** to apply.   25. **auszusehen hat** is supposed to look.

Einerseits[26] brauchen wir das Spezialistentum, andererseits ändert
sich die Art[27] der Spezialitäten, die wir benötigen, ständig[28] und in
immer steigendem Tempo[29]. Eine Lösung dieses Problems läge
35 darin[30], eine dirigistische Lenkung[31] der Lernenden und Studierenden
in die jeweils[32] benötigten Fachbereiche[33] vorzunehmen[34]. In einigen
östlichen Ländern ist dies eine Reihe von Jahren praktiziert worden.
Dieses Prinzip ist scheinbar[35] sehr sparsam[36]. Überholte[37] Spezialitäten läßt man einfach aussterben[38], und es werden nur solche Leute
40 herangebildet, die man wirklich in der Gesellschaft braucht.

Exercises

Choose the most accurate expression or equivalent:

1. Mit den Experimenten in Travemünde ist das Raketenzeitalter
   eingeleitet worden.

   (A) abgeschlossen
   (B) begonnen
   (C) erzielt
   (D) beabsichtigt

2. Südostasien ist immer noch weitgehend *auf Amerika angewiesen.*

   (A) von Amerika abhängig
   (B) durch Amerika erwiesen
   (C) von Amerika abgewiesen
   (D) von Amerika getrennt

3. Durch die rasch anwachsende Bevölkerung wird das Wohnungs-
   problem nie _____ können.

   (A) lösen
   (B) gelöst werden
   (C) werden lösen
   (D) gelöst

26. **einerseits . . . andererseits** on the one hand . . . on the other hand.
27. **die Art** kind.   28. **ständig** constantly.   29. **in immer steigendem
Tempo** faster and faster.   30. **läge darin** could be found.   31. **die
dirigistische Lenkung** directed guidance.   32. **jeweils** respectively.   33. **der
Fachbereich** area.   34. **vor-nehmen** to organize.   35. **scheinbar** seemingly.
36. **sparsam** economical.   37. **überholt** outdated.   38. **aus-sterben** to die
out.

4. In den letzten Jahren hat die Wirtschaft einen großen Auftrieb *erreicht.*
   - (A) verlangt
   - (B) erfordert
   - (C) überreicht
   - (D) erlangt

5. Von Venezuela werden viele Länder mit Erdöl _____.
   - (A) liefern
   - (B) geliefert
   - (C) beliefert
   - (D) befördert

6. Die platonischen Ideen _____ für die abendländische Philosophie grundlegend _____.
   - (A) haben . . . geworden
   - (B) sind . . . worden
   - (C) haben . . . gewesen
   - (D) sind . . . geworden

7. In Schweden _____ große wirtschaftliche Fortschritte gemacht.
   - (A) würden
   - (B) worden
   - (C) wurden
   - (D) geworden

8. Der finanzielle Aufwand für die Weltraumforschung ist von einigen Senatoren _____.
   - (A) kritisiert
   - (B) werden kritisiert
   - (C) kritisiert worden
   - (D) kritisiert geworden

Fill in or substitute the best expression:

1. The best translation of **Notwendigkeit** (text, line 4) is:
   - (A) emergency
   - (B) efficiency
   - (C) necessity
   - (D) requirement

2. Das Prinzip der Arbeitsteilung —————.

   (A) ist durch die industrielle Revolution aufgekommen
   (B) besteht als Theorie schon seit der Antike
   (C) ist durch die moderne Industriegesellschaft überflüssig ge-
       worden
   (D) ist reine Utopie

3. Heute legt man den Hauptwert auf —————.

   (A) möglichst umfangreiches Allgemeinwissen
   (B) sorgsam differenziertes Fachwissen
   (C) handwerkliches Geschick
   (D) eine rasche Ausbildung auf einem möglichst breiten Fachgebiet

4. Nach Ansicht des Autors ist ein Spezialistentum heute —————.
   (A) unentbehrlich
   (B) völlig überflüssig
   (C) nicht unbedingt notwendig
   (D) unbrauchbar

5. The author believes that specialization —————.

   (A) is the only answer to the problem of unemployment
   (B) is the best way to secure a life-long position
   (C) can become obsolete due to technical progress
   (D) is unfeasible in modern society

Text B

SEAN MACBRIDE

Die Menschenrechtskonvention der Vereinten Nationen und die heutige Weltlage[1]

Auszug mit Genehmigung aer Wissenschaftlichen Verlagsgesellschaft mbH, entnommen aus „Universitas", Band XXIII (1968), S. 1313–14.

Die allgemeine Erklärung der Menschenrechte ist und bleibt das wichtigste Dokument, das je hierfür[2] geschaffen[3] wurde; sie ist ein Markstein[4] in der Menschheitsgeschichte, die Freiheitsurkunde[5] der Unterdrückten[6]. Die Erklärung von 1948 verlangt[7] — was vom juristischen Standpunkt aus gesehen das Wichtigste ist — den gesetz- 5 lichen Schutz[8] der Menschenrechte.

Es geht[9] in der Erklärung nicht nur um prinzipielle Feststellungen[10], die Rechte werden vielmehr[11] genau und ausführlich[12] dargelegt[13]. Zahlreiche Forderungen sind inzwischen in nationale Verfassungen[14] aufgenommen[15] worden; auch wurde sie bei entsprechenden Streitig- 10 keiten[16] zu Rate gezogen[17]. In einer ganzen Reihe von internationalen Konventionen fanden[18] diese Grundrechte ihren Niederschlag. Der

---

1. **die Weltlage** situation of the world. 2. **hierfür** for this purpose. 3. **schaffen** to create. 4. **der Markstein** landmark. 5. **die Freiheitsurkunde** document of freedom. 6. **der Unterdrückte** suppressed person. 7. **verlangen** to demand. 8. **der gesetzliche Schutz** legal protection. 9. **es geht um** it is a question of. 10. **die prinzipielle Feststellung** basic statement. 11. **vielmehr** rather. 12. **ausführlich** extensively. 13. **dar-legen** to state. 14. **die Verfassung** constitution. 15. **auf-nehmen** to incorporate. 16. **die entsprechenden Streitigkeiten** corresponding controversies. 17. **zu Rate ziehen** to consult. 18. **seinen Niederschlag finden** to be adopted.

einmütige Entschluß[19] der Generalversammlung, den zwanzigsten
Jahrestag[20] mit einem Internationalen Jahr der Menschenrechte zu
15   feiern[21], war als positive Bekräftigung[22] der Erklärung der Menschenrechte zu werten[23]. Mehr und mehr gewinnen internationale
Rechtsgelehrte die Überzeugung[24], daß bestimmte Artikel der
Allgemeinen Erklärung im internationalen Rechtsdenken[25] Eingang
gefunden[26] haben. Schon die oft vergessene Haager Konvention von
20   1907 spricht vom Völkerrecht, das auf den unter zivilisierten Völkern
üblichen Gepflogenheiten[27], den Menschenrechten und dem Gebot[28]
des öffentlichen Gewissens[29] beruht[30]. So bildet die Allgemeine
Erklärung die schriftliche Grundlage[31] für Völkerrecht, Menschenrechte und Gebote des öffentlichen Gewissens, wie sie in unserem
25   Jahrhundert gesehen werden.

Es war nicht die Absicht[32] der Vereinten Nationen, das Menschen-
rechtsjahr 1968 mehr oder weniger als eine weitere Möglichkeit für
formelle Erklärungen oder hochtrabende[33] Reden[34] über die Menschenrechte und das bisher Erreichte[35] zu betrachten. Wenn das
30   Internationale Jahr der Menschenrechte irgendeinen Sinn haben soll,
so muß darüber Rechenschaft[36] gegeben werden, inwieweit[37] die in
der Allgemeinen Erklärung festgelegten[38] Grundsätze[39] auf nationaler,
regionaler und internationaler Ebene auch wirklich Anwendung[40]
finden. Über diesen Punkt sind sich alle um den Schutz der Menschen-
35   rechte sich bemühenden[41] Organisationen einig[42].

---

19. **der einmütige Entschluß** unanimous resolution.   20. **der Jahrestag** anniversary.   21. **feiern** to celebrate.   22. **die Bekräftigung** affirmation.   23.
es war zu werten it had to be considered.   24. **die Überzeugung gewinnen**
to become convinced.   25. **das Rechtsdenken** judicial philosophy.   26. **Eingang finden** to be accepted.   27. **die üblichen Gepflogenheiten** traditional
customs.   28. **das Gebot** command.   29. **das Gewissen** conscience.   30.
beruhen auf to be based on.   31. **die Grundlage** foundation.   32. **die
Absicht** intention.   33. **hochtrabend** bombastic.   34. **die Rede** speech.
35. **das bisher Erreichte** that which has been accomplished so far.   36.
Rechenschaft geben über to render an account of.   37. **inwieweit** to what
extent.   38. **fest-legen** to establish.   39. **der Grundsatz** principle.   40.
Anwendung finden to be applied.   41. **sich bemühen** to care for.   42. **sich
einig sein** to agree.

Exercises

Choose the most accurate expression or equivalent:

1. Die Vorschläge zur Gesetzesänderung _____ vom Parlamentarier der Volksvertretung dargelegt.

   (A) würden
   (B) wurden
   (C) wird
   (D) war

2. Einige Länder sind noch nicht in die Vereinten Nationen _____.

   (A) aufgenommen worden
   (B) aufgenommen werden
   (C) wird aufnehmen
   (D) würde aufnehmen

3. Für die Entschärfung einer Atombombe sind auf jeden Fall Experten _____.

   (A) zu Rate zu ziehen
   (B) zu Rate ziehen lassen
   (C) zu Rate ziehen werden
   (D) zu Rate ziehen

4. Der 4. Juli _____ in Amerika jedes Jahr groß _____.

   (A) ist . . . gefeiert
   (B) läßt sich . . . gefeiert
   (C) wird . . . gefeiert
   (D) würde . . . gefeiert

5. Das gesunkene Unterseeboot ist bis heute nicht _____ worden.

   (A) abgefunden
   (B) aufgedeckt
   (C) entdeckt
   (D) erfunden

6. Das _____ Unrecht wird nicht bestraft werden.

   (A) vergessende
   (B) vergessene
   (C) vergeßliche
   (D) vergossene

7. Die UNO *bildet* einen wesentlichen Faktor für die Friedensbe-
   mühungen der Nationen.

   (A) befindet sich
   (B) ist
   (C) erzieht
   (D) stellt . . . dar

8. Rembrandts Gemälde „Die Nachtwache" *läßt sich* in Amsterdam
   besichtigen.

   (A) kann man . . . besichtigen
   (B) wird . . . besichtigt
   (C) ist . . . besichtigt worden
   (D) hat man . . . zu besichtigen

Fill in or substitute the best expression:

1. The best translation of **Reihe** (text, line 11) is:

   (A) sequence
   (B) row
   (C) range
   (D) number

2. Die Erklärung der Menschenrechte ist eine Freiheitsurkunde für
   _____ .

   (A) die Privilegierten
   (B) die Sozialdemokraten
   (C) die Bourgeoisie
   (D) die Unterdrückten

3. Die Menschenrechtskonvention enthält _____.

(A) auch differenzierte juristische Fragen
(B) nur allgemeine rechtliche Forderungen
(C) verschiedene nationale Verfassungen
(D) eine Vielzahl von Streitigkeiten

4. Die Menschenrechtserklärung diente als Grundlage für _____.

(A) das sozialistische Regime vieler Länder
(B) zahlreiche internationale Konventionen
(C) die Ausbildung des Kriminalrechts
(D) die internationale Juristentagung

5. Die Allgemeine Erklärung der Menschenrechte wurde als schriftliche Grundlage _____ abgefaßt.

(A) während der französischen Revolution
(B) unmittelbar nach Beendigung des amerikanischen Bürgerkrieges
(C) vor Beginn des I. Weltkrieges
(D) nach dem II. Weltkrieg

chapter 6

Text A

HANS WERNER RICHTER

Zum politischen Engagement deutscher Schriftsteller[1]

Auszug mit Genehmigung der Redaktion, entnommen aus „Neue Rundschau", Band LXXVIII (1967), S. 290–91.

Immer wieder stand in den letzten Jahren das Thema „Der Schriftsteller und die Politik" zur Debatte. In zahlreichen Podiums-[2], Nachtstudio- und Fernsehdiskussionen wurde es erörtert[3], selbst[4] in Bundestagsdebatten[5] tauchte[6] es auf, zuweilen[7] unter dem Motto
5 „Die Macht und der Geist"— eine Art romantisch-idealistische

---

1. **der Schriftsteller** writer.   2. **die Podiumsdiskussion** panel discussion.
3. **erörtern** to discuss.   4. **selbst** even.   5. **der Bundestag** Federal Parliament.   6. **auf-tauchen** to come up.   7. **zuweilen** at times.

Verschleierung[8] der wirklichen Vorgänge. Immer mehr gewann man
bei diesen Auseinandersetzungen[9] den Eindruck der Verwirrung[10] auf
beiden Seiten; nicht selten konnte man sich auch des Verdachts[11]
nicht erwehren, daß hier vom Mangel[12] in politischen Konzeptionen
und Initiativen abgelenkt[13] werden sollte, indem man gegen unlieb- 10
same Kritiker polemisierte. Eine Frage aber blieb bis heute: die Frage
nach dem politischen Engagement des Schriftstellers in der Zeit nach
1945.

Die Grundfrage, die immer wieder gestellt wird, ob der Schriftsteller
in der Politik zuständig[14] ist, läßt sich leicht beantworten. Er ist 15
zuständig wie jeder Bürger eines Staates, dem die Entwicklung dieses
Staates und der durch ihn repräsentierten Gesellschaft nicht gleichgültig[15] ist. Er kann wählen[16] gehen wie jeder Bürger, er kann sich
einer politischen Partei anschließen[17], er kann als Abgeordneter[18] ins
Parlament einziehen und das politische Geschehen mitbestimmen[19]. 20
Er kann also unmittelbar[20] auf die Politik und damit auf die politische
Entwicklung einwirken[21].

Die andere Möglichkeit, die dem Schriftsteller offen steht, ist die
mittelbare[22] Einwirkung auf die politische, das heißt gesellschaftliche
Entwicklung: die Einwirkung durch das Wort, durch die Literatur, 25
durch die Publizistik. Auch diese zweite Möglichkeit entspricht[23] den
allgemeinen bürgerlichen Rechten. Jeder Bürger kann sich ihrer
bedienen[24], vorausgesetzt[25], er beherrscht[26] das Wort und hat etwas
zu sagen.

Die Schriftsteller unserer Zeit haben vorwiegend[27] von der zweiten 30
Möglichkeit Gebrauch gemacht[28]. Das hat ihnen den Vorwurf
eingetragen[29], ewig Lärmende[30] und Protestierende zu sein, die auf

---

8. **die Verschleierung** veiling.   9. **die Auseinandersetzung** debate.   10.
die Verwirrung confusion.   11. **sich eines Verdachtes erwehren** to resist
suspicion.   12. **der Mangel** deficiency.   13. **ab-lenken** to divert.   14.
zuständig competent.   15. **gleichgültig** indifferent.   16. **wählen** to vote.
17. **sich an-schließen** to join.   18. **der Abgeordnete** delegate.   19. **mitbestimmen** to have a voice in.   20. **unmittelbar** directly.   21. **ein-wirken
auf** to have influence in.   22. **mittelbar** indirect.   23. **entsprechen** to
correspond.   24. **sich bedienen** to make use of.   25. **vorausgesetzt** provided.
26. **beherrschen** to master.   27. **vorwiegend** predominantly.   28. **Gebrauch
machen von** to make use of.   29. **das hat ihnen den Vorwurf eingetragen**
for that reason they have been criticized.   30. **der Lärmende** dissident.

der Basis einer wirklichkeitsfernen Moral der politischen Praxis und den komplexen Sachproblemen unserer Zeit ausweichen[31]. Dieser Vor-
35 wurf[32] aber wirft[33] die Frage auf, warum haben die Schriftsteller in den letzten Jahrzehnten die Möglichkeit der praktischen Politik, der unmittelbaren Einwirkung nicht genutzt? Warum gibt es an verantwortlichen[34] Stellen keine Schriftsteller in den Parteien, warum gibt es keine Schriftsteller im Bundestag, in den Landesparlamenten,
40 in der Regierung?

Exercises

Choose the most accurate expression or equivalent:

1. Das Raketen-Abwehrsystem wurde im Kongress lange *diskutiert.*
   (A) aufgeschoben
   (B) erörtert
   (C) verworfen
   (D) gebilligt

2. Zuweilen *treten* prähistorische Funde *zutage.*
   (A) verschwinden
   (B) halten Tagungen ab
   (C) gehen verloren
   (D) tauchen auf

3. Manchmal kann man *sich des Verdachts nicht erwehren,* daß Oswald Spengler recht hat.
   (A) den Verdacht nicht loswerden
   (B) jemanden verdächtigen
   (C) es jemandem nicht verdenken
   (D) nicht Verdacht schöpfen

4. Oft ist es gut, wenn man auf gewisse Menschen *einwirken* kann.
   (A) verwirken
   (B) einfließen
   (C) bewirken
   (D) Einfluß ausüben

---

31. **aus-weichen** to evade. 32. **der Vorwurf** criticism. 33. **eine Frage aufwerfen** to raise a question. 34. **verantwortlich** responsible.

5. *Vorausgesetzt,* daß das Wetter gut ist, fahren wir morgen in die Berge.

   (A) Wenn die Möglichkeit besteht
   (B) Unter der Bedingung
   (C) Unter dem Vorwand
   (D) Bei der Voraussage

6. In den meisten Ländern _____ man erst wählen, wenn man über 21 Jahre alt ist.

   (A) mag
   (B) muß
   (C) darf
   (D) will

7. Der Wunsch nach steigendem Wohlstand *stimmt mit* dem Charakter der heutigen Industriegesellschaft *überein.*

   (A) ergänzt
   (B) bestimmt
   (C) verbindet
   (D) entspricht

8. Niemand hätte das Unglück aufhalten _____ .

   (A) gekonnt
   (B) können
   (C) gedurft
   (D) vermögen

Fill in or substitute the best expression:

1. The best translation of **Vorgänge** (text, line 6) is:

   (A) processions
   (B) progress
   (C) processes
   (D) programs

2. Ob der Schriftsteller sich politisch betätigen soll, ist eine Frage, die in den letzten Jahren —————————.

   (A) mit Gleichgültigkeit behandelt wurde
   (B) niemanden recht interessierte
   (C) heftig diskutiert wurde
   (D) überhaupt nicht aufgeworfen wurde

3. Die Schriftsteller unserer Zeit —————————.

   (A) interessieren sich nicht für Politik
   (B) bekämpfen die Regierung
   (C) nehmen zuweilen kritisch Stellung zum politischen Geschehen
   (D) kandidieren gewöhnlich für ein politisches Amt

4. Der Schriftsteller vermag auf die gesellschaftliche Entwicklung ————————— einzuwirken.

   (A) durch Flugblätter
   (B) durch Zeitungsartikel und literarische Werke
   (C) durch persönliche Gespräche mit Politikern
   (D) durch Wahlreden

5. The author discusses the question —————————.

   (A) why modern writers are absolutely apolitical
   (B) how a modern writer can become a candidate for a public office
   (C) how a politically oriented writer can influence the public opinion
   (D) why literature must not deal with politics

Text B

RENÉ KÖNIG

Affekt[1] und Schablone[2] in der heutigen Sprache—Soziologie der Sprache

Auszug mit Genehmigung der Wissenschaftlichen Verlagsgesellschaft mbH, entnommen aus „Universitas", Band XXIV (1969), S. 143–44.

Der Zwiespalt[3] zwischen Affekt und Schablone in der Alltagssprache gibt[4] zu einigen Mißverständnissen Anlaß, die man am besten von Anfang an[5] ausräumt[6], um dann unbefangen[7] an die eigentliche Problematik heranzugehen[8]. Sagen wir zuerst, was unter diesem Thema nicht verstanden werden darf: Der Gegensatz zwischen Affekt und 5 Schablone darf unter keinen Umständen in eins gesetzt[9] werden mit jenem anderen von persönlichen Gefühlen und gesellschaftlicher Schablone, denn dieser Gegensatz[10] würde uns nur zurückführen zu der alten Antinomie zwischen Individuum und Gemeinschaft oder Person und Kollektiv oder wie man sonst[11] sagen will, alles Themen, 10 von denen die moderne Soziologie längst[12] weiß, daß sie falsch gestellte[13] Proleme darstellen[14]. In Wahrheit kann die Person gar kein Gegensatz zur Gesellschaft sein, weil die Person selber Ergebnis eines gesellschaftlichen Erziehungsprozesses ist. Das schließt[15] natürlich

1. **der Affekt** emotion.   2. **die Schablone** stereotype.   3. **der Zwiespalt** discrepancy.   4. **Anlaß geben zu** to cause.   5. **von Anfang an** from the very beginning.   6. **aus-räumen** to eliminate.   7. **unbefangen** unaffected.   8. **heran-gehen an** to approach.   9. **in eins setzen** to identify.   10. **der Gegensatz** contrast.   11. **sonst** otherwise.   12. **längst** for a long time. 13. **falsch gestellt** wrongly formulated.   14. **dar-stellen** to constitute.   15. **aus-schließen** to exclude.

15 die Möglichkeit individueller Lebensgestaltung nicht aus; nur muß man
    sich darüber klar sein[16], daß diese einzig im Rahmen[17] des sozial
    Akzeptablen gelten[18] kann. Während die Gesellschaft die allgemeinen
    Normen für das <u>Verhalten</u> hergibt, entfalten sich[19] im persönlichen
    Lebenslauf die einzigartigen Determinanten, die jede Person von der
20 anderen unterscheiden[20] und ihr eine unverwechselbare[21], einzigartige
    Physionomie geben.

    Das gilt zunächst[22] eher allgemein[23], trifft[24] aber genauso[25] zu im
    Rahmen der Sprache, von der wir längst schon wissen, daß sie ein
    wesentliches Aufbaumoment[26] aller menschlichen Gesellschaften
25 darstellt und vielleicht sogar das entscheidende Kriterium zwischen
    Humangesellschaften und Tiergesellschaften ist. Keine Gesellschaft
    ohne Sprache: erst die Sprache bringt die Kommunikationsfähigkeit
    auf das Niveau[27], das der Gesellschaft erlaubt, in der Zeit zu über-
    dauern[28] und ein eigenes Bewußtsein[29] ihrer Identität zu entwickeln.
30 Die Sprache ist aber nicht nur Resultat gesellschaftlicher Vereini-
    gung[30], sondern gleichzeitig ein Mittel[31] der Gesellschaft, mit dessen
    Hilfe sie ihre inneren Beziehungen[32] immer reicher[33] ausgestaltet[34].
    Das heißt mit anderen Worten, daß sich das Weltbild einer Gesell-
    schaft erst mit der Sprache voll entfalten kann, so daß die Sprache
35 ihrerseits[35] nicht nur Produkt, sondern auch entscheidendes Gestal-
    tungsinstrument[36] des sozialen und kulturellen Lebens ist.

Exercises

Choose the most accurate expression or equivalent:

1. Als Fußgänger _____ man nicht bei Rotlicht die Straße
   überqueren.

16. **sich über etwas klar sein** to realize.   17. **der Rahmen** scope.   18.
gelten to be valid.   19. **sich entfalten** to develop.   20. **unterscheiden** to
differentiate.   21. **unverwechselbar** unmistakable.   22. **zunächst** first of all.
23. **allgemein** in a general sense.   24. **zu-treffen** to hold true.   25. **genauso**
in the same way.   26. **das Aufbaumoment** structural factor.   27. **das
Niveau** level.   28. **überdauern** to outlast.   29. **das Bewußtsein** consciousness.   30. **die Vereinigung** unification.   31. **das Mittel** means.   32.
die Beziehung relation.   33. **immer reicher** more and more generously.
34. **aus-gestalten** to shape.   35. **ihrerseits** on its part.   36. **das Gestal-
tungsinstrument** means of formation.

(A) muß
(B) könnte
(C) darf
(D) mochte

2. *He wants* to travel to Europe next summer.

(A) Er würde
(B) Er wird
(C) Er möchte
(D) Er mochte

3. Die Industrie *bildet* die wichtigste Lebensgrundlage der heutigen Gesellschaft.

(A) stellt . . . dar
(B) ergibt
(C) gibt . . . vor
(D) stellt . . . auf

4. Nicht jeder hat die Möglichkeit, *sich* nach seinen Wünschen *zu entfalten.*

(A) aufzufallen
(B) sich zu entwickeln
(C) sich zu erinnern
(D) sich auszudehnen

5. Die Wettervorhersage *stimmt* leider nicht immer.

(A) ist . . . falsch
(B) trifft . . . zu
(C) zielt . . . ab
(D) fliegt . . . auf

6. Wer schwerhörig ist, _____ nicht immer alles verstehen.

(A) will
(B) soll
(C) darf
(D) kann

7. Die Statistiken *erlauben* dem Soziologen, zuverlässige Vorhersagen zu machen.

   (A) gestatten
   (B) verzeihen
   (C) verbieten
   (D) helfen

8. Niemand *vermag* über seinen eigenen Schatten *zu springen*.

   (A) mag . . . springen
   (B) will . . . springen
   (C) kann . . . springen
   (D) muß . . . springen

Fill in or substitute the best expression:

1. The best translation of **Verhalten** (text, line 18) is:

   (A) relationship
   (B) property
   (C) behavior
   (D) relativity

2. Der Gegensatz zwischen Affekt und Schablone ist _____ Antinomie zwischen Individuum und Gemeinschaft.

   (A) gleichbedeutend mit der
   (B) nicht zu verwechseln mit der
   (C) ähnlich wie die
   (D) wichtiger als die

3. Das Verhältnis von Einzelmensch und Kollektiv ist für die moderne Soziologie _____.

   (A) neuerdings das eigentliche Problem
   (B) eine falsche Problemstellung
   (C) ein faszinierendes Phänomen
   (D) eine völlig ungelöste Frage

4. Ein wesentliches Merkmal der menschlichen Gesellschaft im Unterschied zum Tierreich ist _____ .

   (A) der Familiensinn
   (B) das Schutzbedürfnis
   (C) die Sprache
   (D) das Schmerzempfinden

5. According to the author language is for the social and cultural life _____ .

   (A) of minor significance
   (B) of no value whatsoever
   (C) only useful as a means of communication
   (D) of far-reaching importance

chapter 7

Text A

PETER HERDE

Politik und Rhetorik in Florenz am Vorabend[1] der Renaissance

Auszug mit Genehmigung des Böhlau Verlages, entnommen aus „Archiv für Kulturgeschichte", Band XLVII (1965), S. 141–42.

Die Geschichte[2] seit dem Verfall[3] der Reichsherrschaft[4] in der zweiten Hälfte des 13. Jahrhunderts bietet[5] ein Bild von verwirrender[6] Vielfalt[7]. Ein verhältnismäßig[8] geschlossenes staatliches Gebilde[9], das freilich[10] durch die Rivalitäten der Lehensträger[11] seit dem Tode

1. **der Vorabend** eve.   2. **die Geschichte** history.   3. **der Verfall** decline.
4. **die Reichsherrschaft** imperial reign.   5. **bieten** to give.   6. **verwirrend** confusing.   7. **die Vielfalt** multiplicity.   8. **verhältnismäßig** relatively.
9. **ein geschlossenes staatliches Gebilde** a unified political structure.   10. **freilich** however.   11. **der Lehensträger** feudal tenant.

Roberts von Anjou im Jahre 1343 immer lockerer[12] wurde, findet sich 5
nur im Königreich[13] Sizilien. Im Kirchenstaat[14] herrschte[15] seit der
Übersiedlung[16] der Päpste nach Avignon die Anarchie. Das Regno[17]
lag außerhalb[18] des Gebietes der hohen Städtekultur Mittel- und
Norditaliens, und der Kirchenstaat ragte[19] nur in seinem nördlichen
Teil in dieses Gebiet hinein. Beide Herrschaften[20] gingen den Weg 10
eines langsamen[21], aber ständigen[22] Rückschritts[23]: hier im späten
Mittelalter beginnt jene Zweiteilung Italiens in eine feudalistische,
später bürokratisch-monarchische südliche und eine politisch und
wirtschaftlich aktive nördliche Hälfte, die den Gang[24] der Geschichte
des Landes bis in die Gegenwart[25] beeinflußt[26] hat. Während dort — 15
von Ausnahmen[27] wie dem Königshof in Neapel abgesehen[28] —
Stagnation herrscht, regt[29] sich in der Rivalität der zahllosen kleineren
und größeren Stadtstaaten Umbriens, der Toscana, der Lombardei,
Venetiens und Piemonts jener agonale[30] Geist[31], der zur höchsten
Entfaltung[32] der politischen, wirtschaftlichen und künstlerischen[33] 20
Kräfte[34] führte, zum Übergang[35] vom Mittelalter zur Renaissance.
In der Verfassung[36] dieser Stadtstaaten vollzieht[37] sich seit dem 13.
Jahrhundert vor allem in der Lombardei der Übergang von einer
republikanischen Verfassung zur Signorie[38], von der Herrschaft einer
Vielheit der Bürger[39], die sich durch zahlreiche verfassungsmäßig 25
verankerte[40] politische Institutionen gegenseitig[41] kontrolliert, zur
Herrschaft des Einzelnen[42]. Diese Entwicklung ist durch viele lokale
Besonderheiten[43] und durch irrationale Kräfte beeinflußt worden; sie
ist zumeist die <u>Folge</u> von Kämpfen[44] der verschiedenen Parteien

---

12. **locker** disintegrated.   13. **das Königreich** kingdom.   14. **der Kirchenstaat** papal territory.   15. **herrschen** to rule.   16. **die Übersiedlung** move.
17. **das Regno** kingdom.   18. **außerhalb** outside.   19. **hinein-ragen** to extend
into.   20. **die Herrschaft** governmental system.   21. **langsam** slow.   22.
ständig steady.   23. **der Rückschritt** decline.   24. **der Gang** course.
25. **die Gegenwart** present.   26. **beeinflussen** to influence.   27. **die
Ausnahme** exception.   28. **abgesehen von** apart from.   29. **sich regen**
to be active.   30. **agonal** competitive.   31. **der Geist** spirit.   32. **die
Entfaltung** development.   33. **künstlerisch** artistic.   34. **die Kraft** force.
35. **der Übergang** transition.   36. **die Verfassung** constitution.   37. **sich
vollziehen** to occur.   38. **die Signorie** autocracy.   39. **die Vielheit der
Bürger** republican system.   40. **verankern** to establish firmly.   41. **gegenseitig** mutually.   42. **die Herrschaft des Einzelnen** autocracy.   43. **die
Besonderheit** characteristic feature.   44. **der Kampf** struggle.

30 innerhalb der Kommune. In manchen Fällen beruht[45] sie, ohne daß
man die hier zu beobachtenden Motive verallgemeinern[46] darf, auf
sozialen Voraussetzungen[47], die sich im Laufe[48] des 14. Jahrhunderts
ergaben[49].

Exercises

Choose the most accurate expression or equivalent:

1. Die *Vielfalt* der Probleme in Afrika ist unübersehbar.

    (A) Seltenheit
    (B) Schwierigkeit
    (C) Mannigfaltigkeit
    (D) Einfältigkeit

2. *Die Gegend* um Bordeaux ist für ihren Rotwein berühmt.

    (A) Die Siedlung
    (B) Das Gebiet
    (C) Das Wohnviertel
    (D) Der Bergbau

3. *Der Gang* der Geschichte ist nur selten vorherzusehen.

    (A) Der Verfall
    (B) Der Anlauf
    (C) Der Beginn
    (D) Der Lauf

4. *Die Stagnation* kultureller Entwicklungen während des Krieges hat
bis heute nachgewirkt.

    (A) Die Zerstörung
    (B) Der Stillstand
    (C) Die Niederlage
    (D) Der Fortschritt

45. **beruhen auf** to be based on.   46. **verallgemeinern** to generalize.   47.
die Voraussetzung condition.   48. **der Lauf** course.   49. **sich ergeben**
to result.

5. Die Ergebnisse _____ demoskopischen Institutes haben die Wahl entscheidend beeinflußt.

   (A) solcher
   (B) einem
   (C) jenes
   (D) diese

6. Die internationale *Rivalität* auf der Industriemesse war sehr scharf.

   (A) Kompetenz
   (B) Konkurrenz
   (C) Vertretung
   (D) Ausstellung

7. *Die Entfaltung* der demokratischen Kräfte in Lateinamerika ist problematisch.

   (A) Die Entwicklung
   (B) Die Unterdrückung
   (C) Die Vielfalt
   (D) Die Einfalt

8. Eine starke militärische Macht ist meistens *die Voraussetzung* für eine Diktatur.

   (A) der Anfang
   (B) der Anlaß
   (C) die Grundbedingung
   (D) die Schlußfolgerung

Fill in or substitute the best expression:

1. The best translation of **Folge** (text, line 29) is:

   (A) pursuit
   (B) conclusion
   (C) consequence
   (D) order

2. Im späten 13. Jahrundert war Italien _____.

   (A) eine politische Einheit
   (B) in eine Vielzahl von Staaten aufgeteilt
   (C) päpstlicher Besitz
   (D) von England abhängig

3. Die kulturell hoch entwickelten Städte Italiens befanden sich vorwiegend _____.

   (A) im Süden
   (B) im Vatikan
   (C) nördlich der Alpen
   (D) im Norden

4. Seit dem späten Mittelalter stand Süditalien vorwiegend unter einem _____ Herrschaftssystem.

   (A) feudalistischen
   (B) republikanischen
   (C) demokratischen
   (D) anarchistischen

5. Im 13. Jahrhundert vollzog sich in der Lombardei der Übergang von einer Republik zur _____.

   (A) konstitutionellen Monarchie
   (B) Oligarchie
   (C) Plutokratie
   (D) Autokratie

Text B

ERMENTRUDE VON RANKE

Leopold von Rankes Elternhaus

Auszug mit Genehmigung des Böhlau Verlages, entnommen aus „Archiv für Kulturgeschichte", Band XLVIII (1966), S. 114–15.

Rankes Elternhaus möchte vielleicht den Kennern[1] der Schriften des großen Geschichtsforschers[2] ein in tieferem Sinne biographisches Interesse abnötigen[3], als ich in meinem Vortrage[4] befriedigen[5] kann und will. Wie väterliche und mütterliche Art, Lebensführung[6], Interessen- und Lebenskreis, wie der Eltern geistiger und sittlicher 5 Einfluß an dem Werden[7] Rankes mitgewirkt[8], wie sich diese Einflüsse in seinem Charakter niedergeschlagen[9], wie seine Interessenrichtung[10], seine Arbeitsweise, ja vielleicht die Art, wie er an seinen Stoff herantrat[11], von seinem Elternhaus mitbedingt[12] sein mögen, alles das sind Fragen, die sich dem Betrachter[13] der Herkunft[14] eines 10 Historikers wohl aufdrängen[15] können.

Freilich[16] könnte man sofort ein gewisses Bedenken[17] nicht unterdrücken[18]: Soll nicht die Person des Geschichtsschreibers hinter seinem Werk zurücktreten[19]? Muß sein Werk nicht umso[20] größer sein, je abgelöster vom eigenen Fühlen und Stellungnehmen[21] er die 15 Geschichte selber sprechen läßt? Und ist nicht gerade Ranke dafür

---

1. **der Kenner** expert. 2. **der Geschichtsforscher** historian. 3. **abnötigen** to ask for. 4. **der Vortrag** lecture. 5. **befriedigen** to satisfy. 6. **die Lebensführung** conduct of life. 7. **das Werden** development. 8. **mitwirken an** to contribute to. 9. **sich nieder-schlagen** to consolidate. 10. **die Interessenrichtung** sphere of interest. 11. **heran-treten an** to approach. 12. **mitbedingt sein von** to be influenced by. 13. **der Betrachter** observer. 14. **die Herkunft** origin. 15. **sich auf-drängen** to obtrude. 16. **freilich** of course. 17. **das Bedenken** doubt. 18. **unterdrücken** to suppress. 19. **zurück-treten** to step back. 20. **umso größer . . . je abgelöster** the greater . . . the more remote. 21. **das Stellungnehmen** taking position.

bekannt, diese Anforderungen[22] an die Objektivität des Historikers in besonderem Maße[23] erfüllt zu haben? Nur das Zeit- und Persönlichkeitsgebundene[24] könnte man ja aus seinem Blutserbe[25] und seiner
20 Umwelt[26] erklären. Das aber, was den Historiker zu seinem Beruf befähigt[27], das reine und leuchtende[28] Zurückspiegeln[29] der Geschichte, ist offenbar eine Gabe, die unabhängig[30] sein muß von allen Einflüssen des Elternhauses, ist die legitimierende Mitgift[31] des historischen Genies.

25 Was also zuerst das Interesse anlockt[32], das Aufsuchen[33] der Beziehungen[34] zwischen den Einflüssen von Rankes Elternhaus und seinem Werke, erweist[35] sich schon nach flüchtiger Überlegung[36] als ein zweifelhaftes[37] Unterfangen[38]. Denn während das Werk des Dichters aus Spiel und Widerspiel von Ich und Umwelt erwächst[39],
30 ist jede Geschichtsschreibung nur groß, wenn sie (sei es auch einseitig[40]) rein[41] unpersönlich die ihr enthüllten[42] Seiten der Vergangenheit widerspiegelt[43]. So ist ein wirkliches Eindringen[44] in das Werk des Historikers von der biographischen Seite her wohl kaum[45] zu gewinnen.

Exercises

Choose the most accurate expression or equivalent:

1. Es gibt verhältnismäßig wenige *Kenner* der Schriften Toynbees.

   (A) Abonnenten
   (B) Schriftsteller
   (C) Leser
   (D) Historiker

22. **die Anforderung** demand.   23. **in besonderem Maße** especially.   24. **das Zeit- und Persönlichkeitsgebundene** that which is influenced by time and personality.   25. **das Blutserbe** heritage.   26. **die Umwelt** environment.   27. **befähigen zu** to enable to.   28. **leuchtend** radiant.   29. **das Zurückspiegeln** reflection.   30. **unabhängig** independent.   31. **die Mitgift** dowry.   32. **an-locken** to attract.   33. **das Aufsuchen** search.   34. **die Beziehung** relation.   35. **sich erweisen** to prove to be; to turn out.   36. **nach flüchtiger Überlegung** after quick consideration.   37. **zweifelhaft** dubious.   38. **das Unterfangen** undertaking.   39. **erwachsen aus** to grow from.   40. **einseitig** one-sided.   41. **rein** completely.   42. **enthüllen** to reveal.   43. **wider-spiegeln** to reflect.   44. **das Eindringen** penetration.   45. **wohl kaum** hardly.

2. Die *Schriften* von Karl Marx werden im Westen zu wenig studiert.

(A) Briefe
(B) Werke
(C) Ansichten
(D) Zeitungsartikel

3. Es ist interessant, das allmähliche *Werden* einer europäischen Wirtschaftsgemeinschaft zu beobachten.

(A) Entstehen
(B) Absterben
(C) Dasein
(D) Verwesen

4. Das asoziale Verhalten vieler Jugendlicher ist meist auf ihre _____ zurückzuführen.

(A) Elternhäuser
(B) Altersheime
(C) Universitäten
(D) Kindergärten

5. Die ethnologische *Herkunft* der Etrusker ist bis heute ungeklärt.

(A) Ankunft
(B) Entwicklung
(C) Abstammung
(D) Entdeckung

6. Manche politischen Entscheidungen können zu ernsthaften *Bedenken* Anlaß geben.

(A) Erinnerungen
(B) Entschlüssen
(C) Zweifeln
(D) Empfindungen

7. Der Charakter eines Menschen wird besonders stark von *seiner Umwelt* geprägt.

(A) seinem Umfang
(B) seiner Umgebung
(C) seinem Umgang
(D) seinem Umhang

8. Der Skiläufer beherrscht *in besonderem Maße* die Slalomtechnik.

   (A) to some extent
   (B) occasionally
   (C) especially
   (D) actually

Fill in or substitute the best expression:

1. The best translation of **Einfluß** (text, line 6) is:

   (A) irrigation
   (B) conduct
   (C) influence
   (D) participation

2. Die Autorin befaßt sich besonders mit Rankes _____.

   (A) Alterswerk
   (B) Kindheit und Jugend
   (C) politischen Ansichten
   (D) Geschichtsauffassung

3. Ranke war von Beruf _____.

   (A) Archäologe
   (B) Philosoph
   (C) Geschichtsforscher
   (D) Schriftsteller

4. Ranke war bekannt für seine _____.

   (A) extrem konservative Einstellung
   (B) sozialistische Haltung
   (C) subjektive Geschichtsauffassung
   (D) historiographische Objektivität

5. The author believes that Ranke's brilliant accomplishments can be attributed to his _____.

   (A) education
   (B) historical genius
   (C) parental home
   (D) objectivity

chapter 8

Text A

WALTER LIPPMANN

Johnson und de Gaulle

Auszug mit Genehmigung der Redaktion, entnommen aus „Neue Rundschau", Band LXXVIII (1967), S. 543.

Wir alle wissen, daß General de Gaulle und Präsident Johnson sehr wenig gemein[1] haben. Sie unterscheiden sich grundsätzlich hinsichtlich[2] ihres Temperaments und ihres persönlichen Lebensstils. Sie haben ganz verschiedene ideologische Vorurteile[3], und sie gehören[4] mit ihrer Vergangenheit[5] und ihrer Zielsetzung[6] verschiedenen kulturellen 5 und historischen Epochen an. Während meines Aufenthalts[7] in Europa im vergangenen Sommer kam[8] mir jedoch eine ungemein

1. **gemein** common. 2. **hinsichtlich** in regard to. 3. **das Vorurteil** prejudice. 4. **an-gehören** to belong to. 5. **die Vergangenheit** past. 6. **die Zielsetzung** goals. 7. **der Aufenthalt** stay. 8. **zu Bewußtsein kommen** to realize.

aufschlußreiche[9] Ähnlichkeit[10] ihrer jetzigen Erfahrung[11] zu Bewußtsein.

10   Beide haben ihre Hoffnungen und Ambitionen dafür verpfändet[12],
eine Rolle in den Weltangelegenheiten[13] zu spielen, und ob sie das
beabsichtigen[14] oder nicht: sie mußten dies tun auf Kosten der
inneren Bedürfnisse ihrer Völker. Und nun bekommen beide die
Folgen ihres Versuches[15] zu spüren[16], die Welt in Ordnung zu
15   bringen, während sie nichts gegen die Unordnung im eigenen Hause
taten. Diese Vernachlässigung[17] müssen sie mit einem Verlust[18] an
Vertrauen[19] bezahlen: Keiner der beiden hat mehr die Mehrheit[20]
seines Volkes hinter sich.

Das wichtigste Faktum — daß Weltproblemen vor Problemen des
20   eigenen Landes der Vorrang[21] gegeben wurde — läßt sich sogar in
Frankreich noch deutlicher als in den USA erkennen. Denn zumindest[22] bis zum Sommer dieses Jahres war die Außenpolitik de Gaulles,
im Gegensatz[23] zu der von Präsident Johnson, bei den Franzosen
populär. Eine große, von der Rechten bis zur Linken reichende
25   Mehrheit billigte[24] seine Haltung[25] im Vietnamkrieg, und eine große
Mehrheit billigte, mit nur wenig Kritik an den Mitteln[26] und
Maßnahmen[27], seinen Widerstand[28] gegen die politische und wirtschaftliche Vorherrschaft[29] und Überlegenheit[30] der USA. Das
Engagement von Außenminister Rusk in Asien und die Überbleibsel[31]
30   der Europapolitik von Außenminister Dulles hatten in Frankreich fast
keine einflußreichen[32] Parteigänger[33] gefunden. Trotzdem[34] hat
General de Gaulle, obwohl die gaullistische Außenpolitik allgemein
gebilligt worden war, seit den französischen Wahlen[35] im letzten Jahr

---

9. **ungemein aufschlußreich** very significant.   10. **die Ähnlichkeit** similarity.
11. **die Erfahrung** experience.   12. **verpfänden** to pledge.   13. **die
Weltangelegenheiten** world affairs.   14. **beabsichtigen** to intend.   15. **der
Versuch** attempt.   16. **spüren** to feel.   17. **die Vernachlässigung** negli-
gence.   18. **der Verlust** loss.   19. **das Vertrauen** confidence.   20. **die
Mehrheit** majority.   21. **der Vorrang** preference.   22. **zumindest** at least.
23. **im Gegensatz** in contrast.   24. **billigen** to consent.   25. **die Haltung**
attitude.   26. **die Mittel** means.   27. **die Maßnahme** measure.   28. **der
Widerstand** resistance.   29. **die Vorherrschaft** predominance.   30. **die
Überlegenheit** superiority.   31. **das Überbleibsel** remnant.   32. **einflußreich**
influential.   33. **der Parteigänger** follower.   34. **trotzdem** nevertheless.
35. **die Wahl** election.

nicht mehr die Unterstützung[36] der Mehrheit der Nation. Schuld[37] an diesem Abstieg[38] de Gaulles ist der Umstand[39], daß die Franzosen von heute es immer schwieriger finden, erfolgreich und angenehm[40] mit der modernen technologischen Revolution zu leben: mit dem Auto und den durch den Verkehr[41] verstopften[42] französischen Städten, mit all den Erfindungen[43] auf dem Gebiet der Mechanik, des Maschinenbaues, der Medizin und der Landwirtschaft[44], die das gewohnte[45] Leben der Franzosen verändern[46].

(line numbers in margin: 35, 40)

Exercises

Choose the most accurate expression or equivalent:

1. Keiner der beiden hat _____ Interesse.

   (A) seiner
   (B) deinem
   (C) meine
   (D) unser

2. Die Hoffnungen, _____ ich habe, sind groß.

   (A) welche
   (B) den
   (C) denen
   (D) welchem

3. Die *Ähnlichkeit* zwischen den Zwillingen ist auffallend.

   (A) compatibility
   (B) difference
   (C) similarity
   (D) imitation

36. **die Unterstützung** support.   37. **schuld sein an** to be responsible for.
38. **der Abstieg** decline.   39. **der Umstand** circumstance.   40. **angenehm**
pleasant.   41. **der Verkehr** traffic.   42. **verstopft** jammed.   43. **die**
Erfindung invention.   44. **die Landwirtschaft** agriculture.   45. **gewohnt**
common.   46. **verändern** to change.

4. Die Völker unterscheiden _____ deutlich voneinander.

   (A) Ihrer
   (B) unser
   (C) sich
   (D) dich

5. In *was für einem* Land ist die Schlagersängerin am populärsten?

   (A) diesem
   (B) welchem
   (C) wessen
   (D) dem wievielten

6. _____ hat große Hoffnungen in diesem Land.

   (A) Einen
   (B) Niemandem
   (C) Jemanden
   (D) Man

7. Der Präsident hat die Mehrheit hinter _____.

   (A) mich
   (B) ihm
   (C) sich
   (D) Ihnen

8. _____ Aufenthalt in der Schweiz war sehr erholsam.

   (A) Mein
   (B) Ihre
   (C) Unserer
   (D) Deinen

Fill in or substitute the best expression:

1. The best translation of **Bedürfnisse** (text, line 13) is:

   (A) allowances
   (B) permits
   (C) needs
   (D) permissions

2. Johnson und de Gaulle haben viel gemein hinsichtlich _____.

(A) ihrer politischen Ambitionen
(B) ihrer Außenpolitik
(C) ihres Lebensstils
(D) ihrer ideologischen Vorurteile

3. Johnson hat durch die Vernachlässigung der innenpolitischen Interessen _____ der Mehrheit verloren.

(A) das Bewußtsein
(B) das Mißtrauen
(C) das Vertrauen
(D) den Widerstand

4. Johnson und de Gaulle schenkten den Weltproblemen _____.

(A) Vorurteile
(B) Vorrang
(C) Vertrauen
(D) Vernachlässigung

5. Die Franzosen stehen den technischen Entwicklungen des 20. Jahrhunderts _____ gegenüber.

(A) skeptisch
(B) gleichgültig
(C) vorbehaltlos
(D) rücksichtslos

Text B

GOLO MANN

John F. Kennedy

Auszug mit Genehmigung der Redaktion, entnommen aus „Neue Rundschau", Band LXXV (1964), S. 9.

Erst[1] als er tot war, wurde mit einem Schlag[2] offenbar, was er bedeutet hatte. Eine solche Welt-Trauer[3], eine halbe Stunde nach dem <u>Ereignis</u> den Erdball ergreifend[4], hat es nie vorher gegeben[5]. Sie zeigte, was er war; und auch was die Trauernden sind und wollen.
5 Sie fürchten sich; sie wollen Frieden; sie spüren, wer es gut mit ihnen meint und der Rechte am rechten Platz ist. Ein besonderes Verhältnis der Jugend zu dem jungen Präsidenten kam dazu[6]. Hier war kein Fremder, auf seine Weisheit und Erfahrung der grauen Vorzeit[7] Pochender[8], sondern Einer, ein strahlender Kriegs- und Friedensheld[9],
10 mit dem man sich in Bewunderung[10] identifizieren konnte.

Er starb, als seine Ziele erst begonnen hatten, sich deutlich abzuzeichnen[11], und als er erst begonnen hatte, Glück[12] zu haben. Anfangs fehlte es ihm. Seine Regierung war drei Monate alt, als es zu der Emigranten-Landung auf Kuba kam[13], die er zuließ[14], weil man ihn
15 falsch unterrichtet[15] hatte. Von dem Wiener-Treffen mit Chruschtschow kehrte[16] er, nicht entmutigt[17], aber von schwerer, drängender Sorge[18] bewegt, nach Hause zurück. Im August gab es den frühen

---

1. **erst** only.   2. **mit einem Schlag** suddenly.   3. **die Trauer** mourning.
4. **ergreifend** moving.   5. **es hat nie vorher gegeben** it has never been seen before.   6. **dazu kommen** to be part of.   7. **die Vorzeit** antiquity.   8. **pochen auf** to insist on.   9. **der Kriegs- und Friedensheld** hero of war and peace.   10. **die Bewunderung** admiration.   11. **ab-zeichnen** to become apparent.   12. **das Glück** luck.   13. **kommen zu** to happen.   14. **zulassen** to permit.   15. **unterrichten** to inform.   16. **nach Hause zurückkehren** to return home.   17. **entmutigen** to discourage.   18. **die drängende Sorge** urgent concern.

Tiefpunkt seiner Amtszeit[19], die Berliner Mauer, die ihm wenigstens
für einen Augenblick, den deutschen Alliierten entfremdete[20] und den
Ruf[21] eines Politikers einbrachte, der nicht zu handeln[22] wagt[23]. Die 20
Genfer „Teststop"-Verhandlungen führten zu nichts; die Wiederauf-
nahme[24] der Experimente durch die Russen schien auf diesem Feld
alle seine Hoffnungen zu zerstören[25]. Die „Allianz für den Fortschritt",
Herzstück[26] seiner Philosophie, blieb auf dem Papier. Seine inneren
großzügigen Reformpläne, mit Ausnahme der militärischen, stießen[27] 25
auf den zähen Widerstand der Volksvertretung[28]. Die Geschäftswelt,
so ungeheuer einflußreich, traute[29] dem jungen, hochmütigen[30]
Idealisten nicht, denn er gehörte ihr nicht an; er war auch nicht einer
der anheimelnden Durchschnittspolitiker[31], mit denen man umspringen[32] konnte. Daß er sie einmal, unter dem Einsatz der ganzen 30
Macht des Bundesstaates[33], zwang, eine Erhöhung[34] der Stahlpreise
zurückzunehmen, war ein Pyrrhus-Sieg. Wer liebt es, besiegt[35] zu
werden?

Exercises

Choose the most accurate pronoun:

1. Politiker, _____ beim Volk beliebt sind, werden meistens
   wiedergewählt.

   (A) der
   (B) dem
   (C) die
   (D) den

19. **die Amtszeit** administration.   20. **entfremden** to alienate.   21. **der Ruf**
reputation.   22. **handeln** to act.   23. **wagen** to dare.   24. **die Wieder-
aufnahme** resumption.   25. **zerstören** to destroy.   26. **das Herzstück** core.
27. **auf Widerstand stoßen** to meet resistance.   28. **die Volksvertretung**
congress.   29. **trauen** to trust.   30. **hochmütig** arrogant.   31. **der an-
heimelnde Durchschnittspolitiker** homespun politician.   32. **umspringen
mit** to manipulate.   33. **unter dem Einsatz der ganzen Macht des
Bundesstaates** by using all the power of the Federal Government.   34. **die
Erhöhung** increase.   35. **besiegen** to defeat.

2. Das Schiff „Queen Elizabeth I", _____ lange Zeit den Atlantik überquert hatte, mußte umgebaut werden.

   (A) das
   (B) die
   (C) der
   (D) welchen

3. Wenn man ein Haus kauft, muß _____ auch dafür bezahlen.

   (A) er
   (B) sie
   (C) man
   (D) jeder

4. _____ viel Sport treibt, bleibt auch gesund.

   (A) Was
   (B) Welcher
   (C) Einer
   (D) Wer

5. Auf dem Mond sind die Raumfahrer _____ Menschen begegnet.

   (A) niemandem
   (B) jenen
   (C) keinem
   (D) irgendeinen

6. Ich freue _____ jedes Jahr auf die Urlaubszeit.

   (A) mir
   (B) mich
   (C) meinetwegen
   (D) meiner

7. Das sind die Maschinen, mit _____ man Werkzeuge herstellt.

   (A) jenen
   (B) denen
   (C) welche
   (D) diesen

8. Die Erde ist keine Scheibe; _____ ist eine Kugel.

    (A) es
    (B) sie
    (C) dieses
    (D) ihn

Fill in or substitute the best expression:

1. The best translation of **Ereignis** (text, line 3) is:

    (A) result
    (B) event
    (C) experience
    (D) phenomenon

2. _____ hat sich von Präsident Kennedy besonders verstanden gefühlt.

    (A) Das Militär
    (B) Die Emigranten
    (C) Die Jugend
    (D) Der Kongreß

3. Präsident Kennedy starb, als er _____.

    (A) gerade alle seine politischen Ziele erreicht hatte
    (B) die Kuba-Krise überwunden hatte
    (C) gerade drei Monate an der Regierung war
    (D) mit der Verwirklichung seiner Ziele begonnen hatte

4. Kennedys Begegnung mit Chruschtschow in Wien war _____ für den Präsidenten.

    (A) eine große Ermutigung
    (B) eine schwere Enttäuschung
    (C) ohne politische Konsequenzen
    (D) von großer Tragik

5. Kennedy war in den Augen des Kongresses ein _____ Präsident.

    (A) sehr unbequemer
    (B) sehr beliebter
    (C) gefürchteter
    (D) vergötterter

chapter 9

Text A

WOLFGANG HIRSCH-WEBER

Gesellschaftliche[1] Konflikte in einigen Ländern Südamerikas

Auszug mit Genehmigung des Econ Verlages, entnommen aus „Moderne Welt", Band VI (1965), S. 341.

Als die Europäer im 16. Jahrhundert von einer neuen Welt erfuhren[2], muteten[3] deren Bewohner in den Berichten so fremd an, daß man verführt[4] wurde, die Vielfalt ihrer Daseinsweisen[5] zu übersehen. Noch heute geschieht es, daß man unter „Alt-Amerika" lediglich[6] die Reiche
5 der Inka und der Azteken versteht, ohne sich der großen Zahl von

---

1. **gesellschaftlich** social.　2. **erfahren** to hear.　3. **an-muten** to appear.
4. **verführen** to mislead.　5. **die Daseinsweise** mode of existence.　6.
lediglich merely.

politischen Gebilden[7] bewußt[8] zu sein, die vor und neben ihnen
bestanden[9]. Die dem Weißen oft als fast uniforme Menschengruppe
erscheinenden Indianer unterscheiden[10] sich in Wirklichkeit physisch,
psychisch und nach den Kulturen, die sie hervorgebracht[11] haben.
Seit der Eroberung[12] vergrößerte die Einwanderung von Spaniern, 10
Portugiesen, anderen Europäern und Asiaten, sowie die gewaltsame[13]
Einfuhr[14] von Negersklaven die ethnische Mannigfaltigkeit[15]. Gleichzeitig bewirkte[16] jedoch die spanische und portugiesische Überlagerung[17] eine gewisse Vereinheitlichung[18] der Kulturen. Allerdings[19]
zählt man allein in Mexiko außer dem Spanischen zehn Sprachstämme 15
und 35 Dialekte. Die Hälfte der bolivianischen Bevölkerung spricht
Quechua oder Aymará, die andere Hälfte Spanisch oder auch Dialekte
kleinerer Indianervölker.

Die physische Gestalt[20] des Subkontinents fördert[21] die kulturelle
Vielfalt. Das Gebirge, das ihn im Westen in seiner ganzen Länge 20
durchzieht[22], hat zahllose von Menschen bebaute[23] Plateaus,
Kessel[24], Täler[25] und Hänge[26], die durch Schluchten[27], Gipfel[28] und
Bergketten voneinander getrennt[29] sind. Das Klima, mehr von der
Höhenlage[30] als vom Breitengrad[31] bestimmt, weist[32] von der
Pazifikküste bis zu den Sechs- und Siebentausendern[33] hinauf jede 25
Variation auf und bietet damit ganz unterschiedliche Möglichkeiten
des Lebens. Noch entscheidender[34] aber als die durch Felsen[35] und
Klima bewirkte Abkapselung[36] der Siedlungen[37] in den Kordilleren
ist die Trennung des Gebirges von den Tiefebenen[38] im Osten. Der
feuchte[39] Regenwald kann von den Bergen her kaum durchdrungen[40] 30

7. **das Gebilde** system.   8. **sich einer Sache bewußt sein** to be aware of
something.   9. **bestehen** to exist.   10. **sich unterscheiden** to differ.   11.
hervor-bringen to produce.   12. **die Eroberung** conquest.   13. **gewaltsam**
forcible.   14. **die Einfuhr** importation.   15. **die Mannigfaltigkeit** diversity.
16. **bewirken** to cause.   17. **die Überlagerung** majority.   18. **die Vereinheitlichung** unification.   19. **allerdings** however.   20. **die Gestalt** shape.
21. **fördern** to further.   22. **durchziehen** to traverse.   23. **bebauen** to
cultivate.   24. **der Kessel** depression.   25. **das Tal** valley.   26. **der Hang**
slope.   27. **die Schlucht** ravine.   28. **der Gipfel** peak.   29. **trennen** to
divide.   30. **die Höhenlage** altitude.   31. **der Breitengrad** degree of latitude.
32. **auf-weisen** to exhibit.   33. **die Sechs- und Siebentausender** mountains
with an altitude of six and seven thousand meters.   34. **entscheidend** decisive.
35. **der Felsen** rock.   36. **die Abkapselung** isolation.   37. **die Siedlung**
settlement.   38. **die Tiefebene** lowlands.   39. **feucht** humid.   40. **durch-
dringen** to penetrate.

werden. Aber auch zwischen den Bewohnern der tropischen Niede-
rungen[41] bildet der Urwald[42] immer wieder einen Wall, der nur von
den in vielen Windungen[43] breit dahinziehenden[44] Flüssen durch-
brochen[45] wird. Zu den Barrieren kommt die Ausdehnung[46] des
35 Kontinents. Die Fahrt mit Eisenbahn[47] und Kraftwagen[48] von Santos
nach Lima dauert[49] ebenso lange wie eine Schiffsreise nach Hamburg.
Mexikos Rio Grande ist dem Rhein näher als dem Kap Horn.

Exercises

Choose the most accurate expression or equivalent:

1. Die Neue Welt war für _____ Europäer eine fremde Welt.

   (A) mancher
   (B) allen
   (C) viele
   (D) jedem

2. Er kennt *lediglich* die Inkas und die Azteken.

   (A) bestimmt
   (B) nur
   (C) vielleicht
   (D) wahrscheinlich

3. Eingeborenenstämme, bei _____ es heute noch Kannibalismus
   gibt, leben in Neuseeland.

   (A) jenem
   (B) solchen
   (C) welche
   (D) denen

41. **die Niederung** lowlands.   42. **der Urwald** virgin forest.   43. **die
Windung** bend.   44. **dahin-ziehen** to flow.   45. **durchbrechen** to pierce.
46. **die Ausdehnung** extent.   47. **die Eisenbahn** train.   48. **der Kraftwagen** car.   49. **dauern** to last.

4. Das _____ Staat gehörende Land ist sehr fruchtbar.

   (A) dem
   (B) den
   (C) diese
   (D) dieses

5. Er *erfuhr* die Nachricht von dem Flugzeugunglück erst gestern.

   (A) vernahm
   (B) verlas
   (C) teilte ... mit
   (D) überhörte

6. Wann und von _____ wurde der amerikanische Kontinent entdeckt?

   (A) wen
   (B) wessen
   (C) wo
   (D) wem

7. *Was für einen* Dialekt spricht man in der Stuttgarter Gegend?

   (A) Womit
   (B) Welchen
   (C) Für welchen
   (D) Wofür

8. Die Ziele des Kommunismus sind nicht _____ wie die des Kapitalismus.

   (A) dasselbe
   (B) denselben
   (C) dieselbe
   (D) dieselben

Fill in or substitute the best expression:

1. The best translation of **Vielfalt** (text, line 3) is:

   (A) difference
   (B) similarity
   (C) ambiguity
   (D) variety

2. Bis heute kommt es vor, daß man unter „Alt-Amerika" _____ versteht.

    (A) eine große Anzahl politischer Gebilde
    (B) nur die Inka und Azteken
    (C) die Zeit vor den Inka und Azteken
    (D) die von den Indianern bewohnten Gebiete

3. Die Indianer Südamerikas müssen _____.

    (A) als eine einheitliche Menschengruppe betrachtet werden
    (B) als physisch schwach bezeichnet werden
    (C) im Lichte ihrer großen Unterschiede verstanden werden
    (D) kulturell geschult werden

4. Die kulturelle Mannigfaltigkeit Südamerikas wird zum Teil vereinheitlicht durch _____.

    (A) den allgemeinen Wohlstand
    (B) das günstige Klima
    (C) den spanischen und portugiesischen Einfluß
    (D) die geographischen Umstände

5. The climate of the subcontinent _____.

    (A) is generally mild
    (B) varies greatly
    (C) is very healthy
    (D) is most pleasant in the lowlands

Text B

ALFRED MOZER

Perspektiven der EWG[1]-Politik

Auszug mit Genehmigung der Redaktion, entnommen aus „Neue Rundschau", Band LXXVI (1965), S. 77.

Es scheint, daß sich bei der europäischen Integration bewahrheitet[2], was uns auf der Schulbank als klassisches Gesetz beigebracht[3] wurde: gib mir einen festen Punkt, und ich werde die Welt aus den Angeln heben[4].

Der dazu auch noch erforderliche[5] lange Hebelarm[6] bei der europäischen Integration ist heute die Agrarpolitik. Die Frage ist berechtigt[7]: Wird Europa auf die Heugabel[8] genommen?

Aus der Fülle der täglichen Arbeit einer auf vollen Touren[9] laufenden europäischen Kommission, deren Zweckoptimismus[10] durch keinen noch so entscheidungsscheuen[11] Ministerrat[12] erschüttert[13] werden kann, ragen[14] drei Beschlüsse[15] als überdurchschnittlich[16] bedeutsam aus der Jahresarbeit von 1964 heraus: im Frühsommer die konjunkturregulierenden[17] Empfehlungen[18] an einige der Mitgliedsländer (Italien, die Niederlande, Frankreich); die Beschlüsse über die industrielle Ausnahmeliste[19] für die Zollverhandlungen[20] in der Kennedy-Runde; und schließlich die agrarpolitischen Entscheidungen.

1. **EWG** (**Europäische Wirtschaftsgemeinschaft**) European Common Market.   2. **sich bewahrheiten** to turn out to be true.   3. **bei-bringen** to teach.   4. **aus den Angeln heben** to turn upside down.   5. **erforderlich** necessary.   6. **der Hebelarm** lever.   7. **berechtigt** justified.   8. **die Heugabel** pitchfork.   9. **auf vollen Touren** at full speed.   10. **der Zweckoptimismus** pragmatism.   11. **entscheidungsscheu** too timid to make a decision.   12. **der Ministerrat** council of ministers.   13. **erschüttern** to shake up.   14. **heraus-ragen** to emerge.   15. **der Beschluß** resolution.   16. **überdurchschnittlich** above average.   17. **die Konjunktur** trade cycle.   18. **die Empfehlung** recommendation.   19. **die Ausnahme** exception.   20. **die Zollverhandlung** tariff negotiation.

Dabei sind die letztgenannten Beschlüsse in den beiden Dezember-
sitzungen[21] des Ministerrats gefaßt[22] worden, in den Marathon-
tagungen[23] des Jahresschlußverkaufs[24]. Von Müdigkeit überwältigte[25]
20 Minister klagten[26] am Morgen des 15. Dezembers, daß nun ein Ende
sein müsse mit den vierzigstündigen Sitzungen. Sie blickten dabei
vorwurfsvoll[27] auf den anscheinend[28] nicht zu zermürbenden[29]
Mansholt. <u>Allerdings</u> ist an diesen Marathonsitzungen nicht die
Kommission in Brüssel schuld[30], sondern der entscheidungsträge[31]
25 Ministerrat, der ein ganzes Jahr hindurch immer wieder nach Flucht-
und Ausfluchtmöglichkeiten[32] suchte, um schließlich in Zeitnot[33]
letzte Termine erfüllen[34] zu müssen. Unbewußt steht dahinter
natürlich doch das Wissen um die große Tragweite[35] der Entscheidungen. Es ist ein seltsamer und ernüchternder[36] Anblick: das Un-
30 behagen[37] biederer[38] Bürger, die einem Abenteuer[39] entgegengehen.

Exercises

Choose the most accurate expression or equivalent:

1. Die wirtschaftliche Integration Europas, _____ für lange Zeit
ein Traum zu sein schien, ist nun eine praktische Möglichkeit.

   (A) wo
   (B) welches
   (C) die
   (D) derjenige

2. Die Prophezeiungen der Wissenschaftler haben sich *bewahrheitet*.

   (A) berechtigt
   (B) bestätigt

21. **die Sitzung** session.   22. **einen Beschluß fassen** to make a decision.
23. **die Tagung** conference.   24. **der Jahresschlußverkauf** end-of-the-year
sale.   25. **überwältigen** to overcome.   26. **klagen** to complain.   27.
vorwurfsvoll reproachful.   28. **anscheinend** seemingly.   29. **zermürben** to
wear down.   30. **schuld sein** to be responsible.   31. **träge** slow.   32. **die
Flucht- und Ausfluchtmöglichkeiten** possibilities of evasion.   33. **die Zeitnot**
time pressure.   34. **letzte Termine erfüllen** to meet deadlines.   35. **die
Tragweite** significance.   36. **ernüchtern** to disillusion.   37. **das Unbehagen**
discomfort.   38. **bieder** upright.   39. **einem Abenteuer entgegengehen** to
seek an adventure.

(C) berichtigt
(D) berichten lassen

3. Zum Verständnis der Geschichte sind Kenntnisse in Nationalökonomie *erforderlich.*

(A) notwendig
(B) vermeidlich
(C) zwecklos
(D) bemerkenswert

4. *Der Beschluß* des Kabinetts war von außerordentlicher Wichtigkeit.

(A) Der Bestand
(B) Die Beratung
(C) Die Vermittlung
(D) Die Entscheidung

5. Nach der Sitzung zeigte sich bei allen große *Müdigkeit.*

(A) Enttäuschung
(B) Erschöpfung
(C) Ratlosigkeit
(D) Verzweiflung

6. Die politische Funktion der englischen Königin ist beinahe
_____ wie die des deutschen Bundespräsidenten.

(A) diejenige
(B) desgleichen
(C) dieselben
(D) die gleiche

7. Heutzutage *klagen* die meisten Menschen *über* zu hohe Steuern.

(A) sehnen sich . . . nach
(B) beschweren sich . . . über
(C) beten . . . für
(D) bitten . . . um

8. Das Thema, _____ der Soziologe einen Vortrag hielt, war
sehr vielschichtig.

(A) wovon
(B) worauf
(C) worüber
(D) womit

Fill in or substitute the best expression:

1. The best translation of **allerdings** (text, line 23) is:

   (A) on the contrary
   (B) however
   (C) last not least
   (D) first of all

2. Eines der am schwierigsten zu erreichenden Ziele auf dem Wege zu einer europäischen Integration ist eine gemeinsame _____.

   (A) Ostpolitik
   (B) Verteidigungspolitik
   (C) Agrarpolitik
   (D) Innenpolitik

3. Eine der bedeutungsvollsten Entscheidungen der europäischen Kommission im Jahre 1964 betraf _____.

   (A) den Handel Europas mit Südamerika
   (B) die Bevölkerungsdichte in den Niederlanden
   (C) die Konjunktur einiger Mitgliedsländer
   (D) die Mitgliedschaft Großbritanniens

4. According to the article the Council of Ministers _____.

   (A) has an unreasonable work load
   (B) usually finishes its annual deliberations on the 15th of December
   (C) tends to postpone difficult decisions as long as possible
   (D) has no or little authority

5. Ein wichtiger Grund für die Entscheidungsträgheit des Ministerrats ist nach Ansicht des Autors _____.

   (A) die europäische Kommission
   (B) seine unbewußte Opposition gegen eine europäische Integration
   (C) die Bedeutsamkeit und Reichweite der Beschlüsse
   (D) der Nationalismus der Mitgliedsländer

chapter 10

Text A

EDUARD J. SOLICH

Die Volksrepublik China und die Bundesrepublik Deutschland

Auszug mit Genehmigung des Econ Verlages, entnommen aus „Moderne Welt", Band VI (1965), S. 191.

Die direkten Beziehungen[1] Pekings zur Bundesrepublik beschränkten[2] sich die ganze Zeit nahezu ausschließlich[3] auf den Handel[4]. Der Warenaustausch[5] mit der Bundesrepublik hat sich von Anfang an, trotz des damals bestehenden[6] verschärften[7] Chinaembargos, gut entwickelt, nicht schlechter jedenfalls[8] als der Handel mit der 5

1. **die Beziehung** relationship.   2. **sich beschränken auf** to be limited to. 3. **ausschließlich** exclusively.   4. **der Handel** trade.   5. **der Warenaustausch** exchange of goods.   6. **bestehen** to exist.   7. **verschärfen** to intensify.   8. **jedenfalls** anyway.

Sowjetzone, ungeachtet[9] der bei der Unterzeichnung[10] des ersten
Handelsabkommens[11] zwischen China und der Zone am 10. 10. 1950
chinesischerseits[12] gemachten Erklärung[13], daß „die Volksrepublik
China ihren Handel mit Gesamtdeutschland ausschließlich über die
10 Organe der DDR[14] leiten[15] werde".

Der Warenaustausch erreichte in den Jahren 1958/59 seinen Höhepunkt, so daß die Bundesrepublik nach der UdSSR an zweiter Stelle als
Lieferland[16] Chinas und in der Reihe[17] der westlichen Verbraucher[18]
chinesischer Erzeugnisse[19] an erster Stelle lag, um allerdings wenig
15 später (1961/62) einen Tiefpunkt zu erreichen. Inzwischen hat sich der
Handelsverkehr wieder belebt[20]. Sein <u>Wert</u> ist von 224 Mill. DM[21] im
Jahre 1963 auf 309 Mill. DM im Jahre 1964 um 37% gestiegen[22]. Am
gesamten Westhandel Chinas hatte 1964 die Bundesrepublik einen
Anteil[23] von nur 5%, wobei sie unter den Lieferanten an achter Stelle,
20 unter den Abnehmern[24] an fünfter Stelle steht. Doch, da die auf
bilateralen Ausgleich[25] gerichtete[26] chinesische Außenpolitik dazu
führt, daß praktisch nur Direktbezüge[27] und Direktlieferungen[28] als
Handel anerkannt[29] werden, während die Bundesrepublik wie auch
andere marktwirtschaftlich organisierte[30] Länder gezwungen[31] sind,
25 Chinaprodukte dort zu kaufen, wo sie am preisgünstigsten[32] sind,
ergibt es sich[33], daß die Bundesrepublik, die die chinesischen Erzeugnisse zu einem überwiegenden[34] Teil in Drittländern kauft, von den
Chinesen noch immer als ein unbedeutender Abnehmer ihrer Produkte
angesehen wird, obgleich in Wahrheit (nach deutscher Statistik) ein
30 starkes chinesisches Aktivsaldo[35] für den Handelsverkehr bezeichnend[36]

---

9. **ungeachtet** in spite of.   10. **die Unterzeichnung** ratification.   11. **das
Abkommen** agreement.   12. **chinesischerseits** by the Chinese.   13. **die
Erklärung** declaration.   14. **DDR (Deutsche Demokratische Republik)**
East Germany.   15. **leiten** to conduct.   16. **das Lieferland** supplier.   17.
in der Reihe among.   18. **der Verbraucher** consumer.   19. **das Erzeugnis**
product.   20. **sich beleben** to recover.   21. **DM (Deutsche Mark)** German
mark.   22. **steigen** to increase.   23. **der Anteil** share.   24. **der Abnehmer**
buyer.   25. **der Ausgleich** equalization.   26. **richten auf** to aim at.   27. **der
Bezug** purchase.   28. **die Lieferung** delivery.   29. **an-erkennen** to recognize.
30. **marktwirtschaftlich organisiert** capitalistically oriented.   31. **zwingen**
to compel.   32. **preisgünstig** reasonably priced.   33. **es ergibt sich** it turns
out.   34. **überwiegend** predominant.   35. **das Aktivsaldo** balance of assets.
36. **bezeichnend** characteristic.

ist. Zu bemerken[37] ist auch, daß Rückgänge[38] des Warenverkehrs zwischen beiden Partnern zuweilen in der boykottartigen Zurückhaltung[39] Chinas gegenüber der Bundesrepublik ihren Grund hatten, wenn es nämlich darum ging[40], der Zone politische Unterstützung[41] zu geben. Denn, wie bei anderen kommunistischen Ländern, ist der 35 chinesische Außenhandel auch eine politische Sache. Nichtsdestoweniger[42] scheint[43] sich der Warenaustausch mit der Bundesrepublik in weit freundlicherer Atmosphäre abzuwickeln[44], als Chinas Warenverkehr mit der Zone.

Exercises

Choose the most accurate expression or equivalent:

1. *Ein enger Kontakt* zwischen dem Osten und dem Westen wird von vielen Politikern dieses Landes erwünscht.

   (A) Eine freundliche Vermittlung
   (B) Eine nähere Beziehung
   (C) Eine wissenschaftliche Abhandlung
   (D) Eine feindliche Haltung

2. Dieses Buch ist *ausschließlich* für Studenten der Volkswirtschaft bestimmt

   (A) auch
   (B) zum Teil
   (C) wahrscheinlich
   (D) nur

3. Die *vorhandenen* Vorräte reichen nicht aus.

   (A) beschriebenen
   (B) bestehenden
   (C) ehemaligen
   (D) zukünftigen

---

37. **bemerken** to mention.   38. **der Rückgang** reduction.   39. **die Zurückhaltung** restraint.   40. **wenn es nämlich darum ging** when it was a matter of.   41. **die Unterstützung** support.   42. **nichtsdestoweniger** nevertheless. 43. **scheinen** to seem.   44. **sich abwickeln** to run off.

4. *Ungeachtet* des Abkommens ist jenem Land nicht geholfen worden.

  (A) Wegen
  (B) Anhand
  (C) Trotz
  (D) Während

5. In den Vereinigten Staaten sind viele *Erzeugnisse* Japans erhältlich.

  (A) Produkte
  (B) Nahrungsmittel
  (C) Angewohnheiten
  (D) Erlebnisse

6. Die Bevölkerung der USA *ist* in den letzten Jahrzehnten enorm *gestiegen*.

  (A) hat . . . standgehalten
  (B) ist . . . erwachsen
  (C) hat . . . zugenommen
  (D) ist . . . verlaufen

7. Die Statistiken, _____ wir über die Industrie und Wirtschaft Chinas haben, sind nicht immer sehr genau.

  (A) wodurch
  (B) womit
  (C) dessen
  (D) die

8. Arbeitskräfte sind in Asien bis zum heutigen Tag relativ *preisgünstig*.

  (A) zuverlässig
  (B) billig
  (C) ungeschult
  (D) abhängig

Fill in or substitute the best expression:

1. The best translation of **Wert** (text, line 15) is:

  (A) price
  (B) estimate
  (C) value
  (D) assessment

2. Die Handelsbeziehungen zwischen Peking und Bonn haben sich
———————————————— entwickelt als zwischen Peking und
Ostberlin.

(A) weitaus schlechter
(B) weitaus besser
(C) nicht nachteiliger
(D) viel früher

3. Der Warenaustausch zwischen der Bundesrepublik und China
erreichte seinen Höhepunkt ——————————.

(A) in den Jahren 1958/59
(B) in den Jahren 1961/62
(C) im Jahre 1963
(D) im Jahre 1964

4. In the year 1964, West Germany was the —————— western
supplier of goods for China.

(A) largest
(B) second largest
(C) fifth largest
(D) eighth largest

5. Nach deutschen Statistiken ist die Bundesrepublik —————— von
chinesischen Produkten.

(A) ein unbedeutender Abnehmer
(B) der größte westliche Abnehmer
(C) hauptsächlich ein Käufer durch Drittländer
(D) wegen des Embargos kein Käufer

Text B

WALTER A. BERENDSOHN

Der Staat Israel und sein Weg
in der heutigen Welt

*Auszug mit Genehmigung der Wissenschaftlichen Verlagsgesell-
schaft mbH, entnommen aus „Universitas", Band XXIV* (1969),
S. 55–56.

Seit zwanzig Jahren richten[1] sich die Augen der ganzen Welt immer
wieder auf den kleinen Staat Israel mit seinen knapp[2] 21000 qkm[3]
und einer Einwohnerschaft[4], die sich jetzt erst drei Millionen nähert[5].
Das liegt[6] gewiß zum Teil[7] daran, daß dieser schmale Streifen an
5   der Ostküste des Mittelmeers den Juden, Christen und Mohammedanern als heiliges Land gilt[8]. Die Omarmoschee[9], auf dem Platz des
im Jahre 70 zerstörten jüdischen Tempels errichtet, ist eines der
schönsten Gotteshäuser der Welt und birgt[10] den Felsen, von dem
aus Mohammed nach der Legende zum Himmel aufgeflogen[11] ist.
10 In ihm gibt es eine Höhle[12], in die der Mufti von Jerusalem 1929
floh[13], weil er dort vor der gerichtlichen Verfolgung[14] der englischen
Mandatsregierung sicher war. Die Christen verehren[15] das Land, weil
in ihm die Lebens- und Leidensgeschichte[16] von Jesus von Nazareth
abgelaufen[17] ist. Seit Paulus VI. als erster Papst die heiligen Stätten[18]
15 besucht hat, folgen wachsende[19] katholische Pilgerscharen[20] seinem

1. **sich richten auf** to turn to.   2. **knapp** barely.   3. **qkm** (**Quadrat-
kilometer**) square kilometer.   4. **die Einwohnerschaft** population.   5.
sich nähern to approach.   6. **das liegt daran** it is caused by.   7. **zum Teil**
partially.   8. **gelten als** to be considered as.   9. **die Moschee** mosque.   10.
bergen to contain.   11. **auf-fliegen** to ascend.   12. **die Höhle** cave.   13.
fliehen to flee.   14. **die gerichtliche Verfolgung** judicial persecution.   15.
verehren to revere.   16. **das Leiden** suffering.   17. **ab-laufen** to happen.
18. **die Stätte** place.   19. **wachsen** to grow.   20. **die Schar** crowd.

Weg. Die Juden haben im Zeitalter[21] ihrer Propheten den Glauben[22] an einen einzigen Gott als Schöpfer[23] der Welt und Leiter des Schicksals[24] der Menschheit geschaffen[25], der die Grundlage der drei Weltreligionen bildet[26]. Nicht nur viele von ihnen, sondern auch gläubige Christen fassen[27] die Wiedergeburt[28] des jüdischen Staates 20 in diesem Lande als die Erfüllung einer Verheißung[29] Gottes auf. Kein anderes Volk ist so stark wie sie an das politische Dasein[30] in diesem Lande gebunden.

Alle Versuche[31], sie in anderen anzusiedeln[32], mußten scheitern[33]. Denn sie haben seit der babylonischen Gefangenschaft[34] durch mehr 25 als zweieinhalb Jahrtausende jedes Jahr zur Zeit ihres Passahfestes um Rückkehr[35] nach Jerusalem gefleht[36]. Nun sammeln[37] sie sich aus hundert Ländern der Welt und betrachten[38] sich als „Heimkehrer[39] aus der Verbannung"[40] ins Land der Väter. Ihr heiliges Buch der Bücher wird nicht nur in den Synagogen verwendet[41], sondern steht 30 auch im Mittelpunkt[42] des ganzen Schulunterrichts als Geschichtsbuch des jüdischen Volkes, als Landeskunde und als unerschöpflicher[43] Schatz[44] der Sprache, die nun die lebendige Muttersprache der israelischen Kinder ist.

Exercises

Choose the most accurate expression or equivalent:

1. *Die Einwohnerschaft* von Berlin hat in den letzten Jahren erheblich abgenommen.

   (A) Das Volk
   (B) Die Bevölkerung
   (C) Die Menschen
   (D) Die Eingeborenen

21. **das Zeitalter** age.   22. **der Glaube** faith.   23. **der Schöpfer** creator. 24. **der Leiter des Schicksals** conductor of fate.   25. **schaffen** to found. 26. **bilden** to form.   27. **auf-fassen** to conceive.   28. **die Wiedergeburt** rebirth.   29. **die Verheißung** promise.   30. **das Dasein** existence.   31. **der Versuch** attempt.   32. **an-siedeln** to settle.   33. **scheitern** to fail.   34. **die Gefangenschaft** captivity.   35. **die Rückkehr** return.   36. **flehen** to implore.   37. **sich sammeln** to gather.   38. **betrachten als** to regard. 39. **der Heimkehrer** returnee.   40. **die Verbannung** exile.   41. **ver-wenden** to use.   42. **der Mittelpunkt** center.   43. **unerschöpflich** inexhaustible.   44. **der Schatz** treasure.

2. Daß Skandinavien khmatisch günstiger bedingt ist als Neufundland, *liegt daran*, daß der Golfstrom Nordeuropa beeinflußt.

(A) wird dadurch befolgt
(B) wird dadurch verhindert
(C) wird dadurch verursacht
(D) wird dadurch verkannt

3. Der Wolkenkratzer wurde im Zentrum der Stadt *errichtet*.
(A) verbaut
(B) abgerissen
(C) gebaut
(D) angestrichen

4. Viele *Gotteshäuser* Europas sind von ungewöhnlicher architektonischer Schönheit.

(A) Kirschen
(B) Kisten
(C) Küchen
(D) Kirchen

5. In San Franzisko *gibt es* zahlreiche Museen.

(A) braucht man
(B) fehlen
(C) befinden sich
(D) bekommt man

6. Die letzten drei Präsidenten der USA, _____ der Demokratischen Partei angehörten, waren Truman, Kennedy und Johnson.

(A) die
(B) welcher
(C) den
(D) welchen

7. In Israel gibt es viele heilige _____ der Christen, Juden und Mohammedaner.

(A) Staaten
(B) Stätten
(C) Städte
(D) Stände

8. Die Rede des Ministers ist von der Presse falsch *aufgefaßt* worden.

   (A) verstanden
   (B) übersetzt
   (C) interpretiert
   (D) wiederholt

Fill in or substitute the best expression:

1. The best translation of **Himmel** (text, line 9) is:

   (A) sky
   (B) clouds
   (C) heaven
   (D) stars

2. Israel hat eine Bevölkerung von _____ drei Millionen.

   (A) beinahe
   (B) weit über
   (C) genau
   (D) mehr als

3. Im Jahre 1929 _____.

   (A) wurde die Omarmoschee errichtet
   (B) wurde der jüdische Tempel zerstört
   (C) wurde Israel gegründet
   (D) floh der Mufti von Jerusalem vor den Engländern

4. Der Glaube an einen einzigen Gott als Schöpfer der Welt wurde zuerst von den _____ geschaffen.

   (A) Christen
   (B) Juden
   (C) Mohammedanern
   (D) Buddhisten

5   According to the author there are Christians who _____.

   (A) object to the existence of Israel on religious grounds
   (B) have supported the foundation of Israel for political reasons
   (C) consider the foundation of Israel as the realization of a divine
        promise
   (D) would prefer to see Israel under the economic control of the
        Arabs

chapter 11

Text A

ANDREAS MILLER

Methoden und Ansätze[1] der Soziologie

Auszug mit Genehmigung der Wissenschaftlichen Verlagsgesell-schaft mbH, entnommen aus „Universitas", Band XXIV (1969), S. 291–92.

Die explosionsartige Entwicklung der Wissenschaften, die wir heute erleben[2], hat auch die Soziologie erfaßt[3]. Universitäten, an welchen noch vor kurzem[4] Philosophen oder Nationalökonomen das Fach[5] Soziologie vertreten[6] haben, errichten[7] hastig besondere Lehrstühle[8]

---

1. **der Ansatz** experimental phase. 2. **erleben** to experience. 3. **erfassen** to seize. 4. **vor kurzem** recently. 5. **das Fach** subject. 6. **vertreten** to represent. 7. **errichten** to establish. 8. **der Lehrstuhl** teaching position.

5 und gründen[9] soziologische Forschungsinstitute. Studienprogramme
für Studenten, welche die Sozialwissenschaften als Hauptfach belegen[10]
und ihre Studien als Soziologen abschließen[11] möchten, setzen[12] sich
durch, und allmählich[13] kristallisieren sich auch Leitbilder[14] von
Berufen[15] heraus, für welche das Soziologiestudium als beste Vorbe-
10 reitung[16] betrachtet[17] wird.

Der Durchbruch[18] der Soziologie zur vollen Anerkennung[19] als
akademisches Fach wird durch ihre zunehmende[20] Bedeutung im
praktischen Leben begleitet[21]. Die genaue <u>Kenntnis</u> soziologischer
Daten und Zusammenhänge[22] wird für den Politiker, für den
15 Sozialreformer oder Wirtschaftsführer immer wichtiger. Hunderte von
akademisch ausgebildeten[23] und mit den Methoden der Sozialforschung
vertrauten[24] Soziologen werden eingesetzt[25], um diese Daten zu
sammeln[26] und zu analysieren, worauf auf Grund[27] dieser Analysen
Empfehlungen[28] für das Handeln[29] formuliert werden.

20 Die Soziologie hätte ihre Stellung in der modernen Welt nicht
erlangen[30] können, wenn sie nicht seit ihren Anfängen eine radikale
Wandlung[31] durchgemacht[32] hätte. Diese Wandlung führte sie — auf
eine kurze Formel gebracht[33] — von einer stark philosophisch orientierten Gesellschaftskritik zu einer empirisch orientierten Gesell-
25 schaftstechnik. Die Soziologie nahm in ihren Anfängen die Gesellschaft
als Ganzes zum Gegenstand ihrer Analysen. Sie ging[34] von einer
allgemeinen Theorie der Gesellschaft aus, welche im Sinne einer
Gesellschafts- und Sozialphilosophie nicht nur ein umfassendes[35] Bild
der sozialen Wirklichkeit entwarf[36], sondern auch ihre Entwicklungs-
30 tendenzen beziehungsweise[37] ihre Entwicklungsgesetze[38] festlegte[39].

9. **gründen** to found.   10. **belegen** to register.   11. **ab-schließen** to conclude.
12. **sich durch-setzen** to prevail.   13. **allmählich** gradually.   14. **das
Leitbild** model.   15. **der Beruf** occupation.   16. **die Vorbereitung** prepara-
tion.   17. **betrachten** to consider.   18. **der Durchbruch** breakthrough.
19. **die Anerkennung** recognition.   20. **zu-nehmen** to increase.   21. **be-
gleiten** to accompany.   22. **der Zusammenhang** relationship.   23. **aus-
bilden** to educate.   24. **vertraut mit** versed in.   25. **ein-setzen** to employ.
26. **sammeln** to collect.   27. **auf Grund** by virtue.   28. **die Empfehlung**
recommendation.   29. **handeln** to act.   30. **erlangen** to attain.   31. **die
Wandlung** change.   32. **durch-machen** to experience.   33. **auf eine kurze
Formel gebracht** reduced to a brief formula.   34. **aus-gehen von** to start with.
35. **umfassend** complete.   36. **entwerfen** to project.   37. **beziehungsweise** or.
38. **das Entwicklungsgesetz** law of development.   39. **festlegen** to determine.

Die moderne soziologische Theorie ist keine „Theorie der Gesellschaft''. Sie ist vielmehr[40] ein System von Gesetzmäßigkeiten[41], die einer strengen[42] empirischen Überprüfung[43] unterzogen werden und sich nicht auf die Gesellschaft in ihrer Totalität, sondern auf einzelne Klassen sozialer Phänomene beziehen[44]. Die praktisch ausgerichteten soziologischen Bemühungen[45] haben ihre kritische Funktion weitgehend[46] eingebüßt[47] und sind in manchem Bereich[48] zu Techniken des sozialen Lebens geworden. 35

Exercises

Choose the most accurate equivalent:

1. In den Vereinigten Staaten sind nach dem II. Weltkrieg viele Universitäten *errichtet* worden.

   (A) konstruiert
   (B) bebaut
   (C) gegründet
   (D) geplant

2. Eine zu *hastige* Interpretation der Geschichte hat zu falschen Schlüssen geführt.

   (A) geduldige
   (B) gemäßigte
   (C) nachlässige
   (D) übereilte

3. In der heutigen Zeit versuchen Studenten so schnell wie möglich, ihr Studium *abzuschließen*.

   (A) zuzumachen
   (B) nachzuholen
   (C) zu beenden
   (D) zu erzielen

---

40. **vielmehr** rather.   41. **die Gesetzmäßigkeit** standard.   42. **streng** strict. 43. **einer Überprüfung unterziehen** to check.   44. **sich beziehen auf** to refer to.   45. **die Bemühung** effort.   46. **weitgehend** largely.   47. **ein-büßen** to lose.   48. **der Bereich** area.

4. Der Präsident des Parlaments konnte sich mit seiner Ansicht nicht *durchsetzen.*

   (A) behaupten
   (B) entschließen
   (C) unterstützen
   (D) absetzen

5. Die Inflation wird von der Regierung *allmählich* unter Kontrolle gebracht.

   (A) plötzlich
   (B) nach und nach
   (C) zu langsam
   (D) gewissenhaft

6. Eine Universitätsausbildung wird heutzutage oft als eine Notwendigkeit *betrachtet.*

   (A) angesehen
   (B) beobachtet
   (C) durchschaut
   (D) bewundert

7. Das Fernsehen *hat* in der Politik seit einiger Zeit *eine große Bedeutung.*

   (A) verursacht . . . viel Schaden
   (B) vollbringt . . . große Wunder
   (C) spielt . . . eine große Rolle
   (D) erlaubt . . . neue Einsichten

8. Die *Empfehlungen* der Wissenschaftler wurden mit einigen Zweifeln angenommen.

   (A) Urteile
   (B) Analysen
   (C) Vorschläge
   (D) Erfindungen

Fill in or substitute the best expression:

1. The best translation of **Kenntnis** (text, line 13) is:

   (A) recognition
   (B) knowledge
   (C) evaluation
   (D) interpretation

2. Der Autor erklärt, daß das Fach Soziologie _____.

   (A) schon seit Jahren als unabhängige Disziplin an den Universitäten gelehrt wurde
   (B) bisher nicht als wissenschaftliche Disziplin anerkannt wurde
   (C) beruflich keine Aussichten bietet
   (D) bei Studenten kaum Anklang findet

3. Bis vor kurzem ist das Fach Soziologie an den Universitäten von _____ behandelt worden.

   (A) Medizinern
   (B) Psychologen
   (C) Philosophen
   (D) Historikern

4. Das Soziologiestudium hat in letzter Zeit an Bedeutung gewonnen, weil _____.

   (A) es sich gezeigt hat, daß es für gewisse Berufe keine bessere Vorbereitung gibt
   (B) man die soziologischen Forschungsinstitute finanziell stärker unterstützt hat
   (C) man die Anzahl der Lehrstühle für Soziologie vergrößert hat
   (D) der letzte Weltkrieg so viele neue Probleme verursacht hat

5. According to the author, sociology would never have become an academically respectable subject, had it not _____.

   (A) been for solving the overpopulation problem
   (B) been for its impact on the economy
   (C) received the support of the students
   (D) been for its practical significance in daily life

Text B

PETER CLASSEN

Die hohen Schulen und die Gesellschaft[1] im 12. Jahrhundert

Auszug mit Genehmigung des Böhlau Verlages, entnommen aus „Archiv für Kulturgeschichte", Band XLVIII (1966), *S. 155.*

Jede höhere Kultur bringt[2] die ihr gemäßen[3] Formen höherer Bildung[4] und höherer Schulen hervor. Die spezifisch europäische Form der hohen Schule, die Universität, ist eine Schöpfung[5] des Hochmittelalters, genauer gesagt[6] des 12. Jahrhunderts. In Bologna
5 und Paris ist damals die Universität entstanden[7], und noch vor 1200 formt sich Oxford nach dem Vorbild[8] von Paris. Kreuzzüge[9] und Rittertum[10], höfische[11] Kultur und Aufstieg[12] der städtischen Bürgerfreiheit, Ausbreitung[13] der volkssprachigen[14] Poesien, hochromanische und frühgotische Kunst[15], sind die bekannten Kenn-
10 zeichen[16] dieses so unglaublich schöpferischen Zeitalters[17]. Zugleich[18] entsteht eine lateinische wissenschaftliche und theologische Literatur von solcher Vielfalt[19], daß kaum ein Gedanke der folgenden Jahrhunderte nicht schon hier *in nuce*[20] vorweggenommen[21] wurde, und von solchen Ausmaßen[22], daß bis heute ein wesentlicher Teil un-

1. **die Gesellschaft** society.   2. **hervor-bringen** to produce.   3. **gemäß** appropriate.   4. **die Bildung** education.   5. **die Schöpfung** creation.   6. **genauer gesagt** to be more exact.   7. **entstehen** to originate.   8. **das Vorbild** example.   9. **der Kreuzzug** crusade.   10. **das Rittertum** knighthood.   11. **höfisch** courtly.   12. **der Aufstieg** rise.   13. **die Ausbreitung** expansion.   14. **volkssprachig** vernacular.   15. **die Kunst** art.   16. **das Kennzeichen** characteristic.   17. **das Zeitalter** era.   18. **zugleich** at the same time.   19. **die Vielfalt** multiplicity.   20. **in nuce** (Latin) briefly.   21. **vorweg-nehmen** to anticipate.   22. **das Ausmaß** scope.

gedruckt[23] ist, obwohl die Erforschung[24] dieser sogenannten Früh- 15
scholastik heute eine Spezialwissenschaft bildet.

„Universitas" und „studium generale" heißen die Namen, die
die hohen Schulen in ihrer ausgebildeten[25] Form seit dem 13. Jahrhundert führen. Beide Ausdrücke[26] bezeichnen[27] dieselbe Sache unter
verschiedenen Aspekten — und der Historiker muß daran erinnern[28], 20
daß sie nichts mit dem zu tun haben, was man heute oft in sie hineinlegt.

„Studium" heißt zunächst jede wissenschaftliche Lehre[29], und so
verschiedene Nuancen zu dem Begriff des Generalstudiums gehören[30],
es bleibt doch dabei[31], daß es nicht nur neben den Elementarfächern
der „artes" wenigstens einen Teil der „höheren" Fakultäten umfaßt[32], 25
sondern auch eine überregionale, Grenzen[33] des Standes[34] und der
Herkunft[35] sprengende[36] Einrichtung[37] ist, an der man schließlich
die „licentia ubique docendi"[38] erwirbt[39]. Dem Gegenbegriff des
„studium particulare" haftet[40] nicht nur die Vorstellung[41] des
wissenschaftlich subalternen, sondern auch des provinziellen Lernens 30
für die Jünglinge[42] einer einzelnen Stadt oder Diözese an. „Universitas" nennt man die Körperschaft[43], die das Studium trägt[44] —
„universitates", d.h.[45] Körperschaften oder Genossenschaften[46],
heißen im kirchlichen und weltlichen Recht[47] des Mittelalters Per-
sonenverbände[48] der verschiedensten Art, von der Gesamtkirche, als 35
Personenverband verstanden, über den Klerus einer Diözese bis zu
den Bürgern einer Stadt, den Bauern[49] eines Dorfes[50] oder den
Meistern einer Zunft[51]. An den Schulen bilden sich die zwei bekannten
Typen: Bologna und die nach Bologneser Art verfaßten[52] Hochschulen

---

23. **drucken** to print.   24. **die Erforschung** research.   25. **aus-bilden** to
develop.   26. **der Ausdruck** expression.   27. **bezeichnen** to mean.   28.
erinnern an to remind of.   29. **die Lehre** teaching.   30. **gehören zu** to belong
to.   31. **es bleibt dabei** it remains a fact.   32. **umfassen** to include.   33. **die
Grenze** boundary.   34. **der Stand** social class.   35. **die Herkunft** descent.
36. **sprengen** to surpass.   37. **die Einrichtung** institution.   38. **„licentia
ubique docendi"** teaching certificate.   39. **erwerben** to obtain.   40. **an-haften**
to be connected with.   41. **die Vorstellung** concept.   42. **der Jüngling** young
man.   43. **die Körperschaft** corporation.   44. **tragen** to carry.   45. **d.h.**
(**das heißt**) that is to say.   46. **die Genossenschaft** association.   47. **das
kirchliche und weltliche Recht** spiritual and temporal law.   48. **der
Personenverband** alliance.   49. **der Bauer** peasant.   50. **das Dorf** village.
51. **die Zunft** guild.   52. **verfassen** to organize.

40 werden von einer „universitas scholarium" gebildet, in der allein die Studenten Glieder[53] der Körperschaft sind.

Exercises

Choose the most accurate equivalent:

1. *Jeglicher* Beruf erfordert eine gründliche Ausbildung.

   (A) Mancher
   (B) Jeder
   (C) Jener
   (D) Solch ein

2. Die venetianische Glasmanufaktur hat manches Kunstwerk *hervorgebracht.*

   (A) eingeleitet
   (B) erzeugt
   (C) verwirklicht
   (D) exportiert

3. Albert Schweitzer ist für viele Menschen ein großes *Vorbild.*

   (A) Bildnis
   (B) Ebenbild
   (C) Beispiel
   (D) Ereignis

4. Extremer Luxus ist oft *ein Kennzeichen* kulturellen Verfalls.

   (A) ein Merkmal
   (B) ein Denkmal
   (C) eine Voraussetzung
   (D) eine Veränderung

5. Die Verteidigungskosten mancher Länder sind *unglaublich* hoch.

   (A) unwiderleglich
   (B) unvorstellbar
   (C) unwiderruflich
   (D) unzustellbar

53. **das Glied** member.

6. *Der Ausdruck* „agonal" *bedeutet wettkampfmäßig.*

   (A) Der Einfluß
   (B) Die Abhandlung
   (C) Die Behandlung
   (D) Die Bezeichnung

7. *Das Friedenscorps hat* wenigstens *versucht, Entwicklungsländern Hilfe zu leisten.*

   (A) kaum
   (B) lediglich
   (C) zumindest
   (D) in erster Linie

8. *In wirtschaftlich florierenden Städten* bildet sich *im allgemeinen eine starke bürgerliche Mittelschicht.*

   (A) erzeugt
   (B) entsteht
   (C) erzieht man
   (D) empfängt man

Fill in or substitute the best expression:

1. The best translation of **Begriff** (text, line 23) is:

   (A) concept
   (B) slogan
   (C) structure
   (D) discipline

2. Die ersten europäischen Universitäten entstanden _____.

   (A) in der Antike
   (B) im Mittelalter
   (C) in der Renaissance
   (D) in der Aufklärung

3. Die frühscholastische Literatur ist vorwiegend in _____ Sprache abgefaßt.

   (A) griechischer
   (B) italienischer
   (C) französischer
   (D) lateinischer

4. Die lateinischen Begriffe „studium generale" und „universitas" _____.

   (A) bedeuten etwas Grundverschiedenes
   (B) sind etymologisch miteinander verwandt
   (C) sind nahezu identisch
   (D) gehören zur Fachterminologie der modernen Pädagogik

5. The author believes that higher education in Europe _____.

   (A) is a by-product of any civilization
   (B) in the Middle Ages was restricted primarily to the natural sciences
   (C) ought to be restricted to the privileged class
   (D) developed as a result of early scholastic thought

chapter 12

Text A

G. T. SEABORG

Das Atom und die Weltgesellschaft heute und morgen

Auszug mit Genehmigung der Wissenschaftlichen Verlagsgesell-schaft mbH, entnommen aus „Universitas", Band XXIV (1970), S. 225–26.

Energie ist die zentrale Kraft im Leben des Menschen. Je mehr er sich davon verfügbar[1] machen kann, um so besser lebt er. Wenn er sie zu lenken[2] versteht, braucht er nur einen Schalter zu betätigen[3] und

---

1. **verfügbar** available. 2. **lenken** to control. 3. **einen Schalter betätigen** to push a button.

eine Pumpe versorgt[4] ihn mit Wasser, ein Zug[5] setzt sich in Bewegung[6],
5 sein Heim wird geheizt[7].

In der Zukunft wird es der Atomkern[8] sein, der den größten <u>Teil</u>
dieser Energie spendet[9]. Wenn der Mensch sie mit Überlegung[10] in
seinen Dienst stellt[11], wird er weite Bereiche[12] seines Lebens zu
seinem eigenen Nutzen ausbauen[13] können.

10 Daß neue Wege beschritten[14] werden müssen, ist offenkundig.
Sachverständige[15] erwarten, daß sich bis zum Jahre 2000 die Weltbevölkerung verdoppelt haben wird, ja einige rechnen[16] sogar mit
einer noch größeren Zahl.

Die Erde selbst indessen wird nicht wachsen; und um alle diese
15 neuen Milliarden von Menschen zu erhalten[17], werden wir lernen
müssen, unsere Hilfsquellen[18] besser zu nutzen, und zwar mit einer
Leistungsfähigkeit[19], wie wir sie heute noch kaum besitzen[20].

Energie ist eine jener Hilfsquellen; und hier wird das Atom seinen
bedeutsamsten Beitrag[21] an die Welt von morgen leisten können, ist
20 es doch in der Lage, sehr billige Elektrizität und Wärme für Fabrika-
tionsprozesse verfügbar zu machen, dies vor allem, wenn Brutreaktoren[22] eingesetzt[23] werden können, die mehr nuklearen Brennstoff[24]
erzeugen[25], als sie verbrauchen[26].

Aber ein Allerweltsmittel[27] an sich ist auch die größte Menge
25 billiger Energie nicht. An uns ist es[28], die Technologie so zu entwickeln,
daß wir aus dieser Energie den größtmöglichen Vorteil[29] ziehen
können. Sie muß geschickt[30] und produktiv von Menschen ausge-
wertet[31] werden, die über die nötigen Geräte[32] und auch über die
nötige Ausbildung verfügen[33], um sie zu nutzen.

---

4. **versorgen** to provide.　5. **der Zug** train.　6. **sich in Bewegung setzen**
to start moving.　7. **heizen** to heat.　8. **der Atomkern** atomic nucleus.　9.
spenden to dispense.　10. **die Überlegung** deliberation.　11. **in Dienst stellen**
to employ.　12. **der Bereich** sphere.　13. **aus-bauen** to develop.　14. **neue
Wege beschreiten** to find new ways.　15. **der Sachverständige** expert.　16.
rechnen mit to expect.　17. **erhalten** to feed.　18. **die Hilfsquelle** resources.
19. **die Leistungsfähigkeit** efficiency.　20. **besitzen** to possess.　21. **einen
Beitrag leisten** to contribute.　22. **der Brutreaktor** fast breeding reactor.
23. **ein-setzen** to use.　24. **der Brennstoff** fuel.　25. **erzeugen** to produce.
26. **verbrauchen** to consume.　27. **das Allerweltsmittel** panacea.　28. **es
ist an uns** it is up to us.　29. **einen Vorteil ziehen aus** to take advantage of.
30. **geschickt** skillful.　31. **aus-werten** to make full use of.　32. **das Gerät**
equipment.　33. **verfügen über** to have.

Einige Wissenschaftler[34] haben bereits einen Plan entworfen[35], um 30
diese riesigen Energiemengen in gigantischen Industriekomplexen —
„Nuplexe" genannt — auszuwerten. Als Energiezentrum soll ein
Brutreaktor mit einer Kapazität in der Größenordnung von Millionen
Kilowatt dienen[36], dem eine ganze Reihe von Industrieanlagen[37]
angeschlossen[38] würden, die unter sich durch ein System von Förder- 35
bändern[39] und Rohrleitungen[40] verbunden[41] wären.

Exercises

Choose the most accurate expression or equivalent:

1. Der _____ Politiker wurde wiedergewählt.

   (A) beliebter
   (B) beliebt
   (C) beliebte
   (D) beliebtes

2. Die Beendigung des Krieges ist das _____ Programm der
   neuen Regierung.

   (A) wichtiges
   (B) wichtigeren
   (C) wichtigstes
   (D) wichtigste

3. Die Arbeitslosen wurden von der Wohlfahrt mit Nahrungsmitteln
   versorgt.

   (A) versehen
   (B) abgegeben
   (C) geholfen
   (D) gestützt

34. **der Wissenschaftler** scientist.   35. **einen Plan entwerfen** to design a
plan. 36. **dienen** to serve. 37. **die Anlage** plant. 38. **an-schließen** to link.
39. **das Förderband** conveyor belt.   40. **die Rohrleitung** pipeline.   41.
verbinden to connect.

4. Der Staatsmann hat die Situation zu seinem eigenen *Nutzen* wahrgenommen.

   (A) Notwendigkeit
   (B) Vorwurf
   (C) Vorteil
   (D) Verlust

5. Die Meinungsforscher *erwarteten einen* Wahlsieg der liberalen Partei.

   (A) hörten von einem
   (B) hinterließen einen
   (C) rechneten mit einem
   (D) erfuhren einen

6. Die Bevölkerungsdichte Hollands ist _____ die der Vereinigten Staaten.

   (A) so groß als
   (B) am größten wie
   (C) größer wie
   (D) größer als

7. Viele der *bedeutsamsten* Wissenschaftler des Mittelalters sind zu ihren Lebzeiten verkannt worden.

   (A) populärsten
   (B) wichtigsten
   (C) gebildetsten
   (D) reichsten

8. Die Menschheit hat im Laufe der Geschichte gelernt, sich viele Hilfsquellen verfügbar zu machen.

   (A) zugänglich
   (B) wertvoll
   (C) abhängig
   (D) zulänglich

Fill in or substitute the best expression:

1. The best translation of **Teil** (text, line 6) is:

   (A) particle
   (B) percentage
   (C) part
   (D) participation

2. In der Zukunft wird der Mensch sein Leben durch größere Anwendung _____ komfortabler gestalten können.

   (A) der medizinischen Wissenschaften
   (B) atomarer Energie
   (C) nuklearer Waffen
   (D) hydroelektrischer Kraftwerke

3. Viele Experten glauben, daß zu Beginn des 21. Jahrhunderts die
Weltbevölkerung _____ so groß sein wird wie jetzt.

   (A) zweimal
   (B) einundeinhalbmal
   (C) beinahe dreimal
   (D) etwa halb

4. Brutreaktoren sind vorteilhaft, weil sie _____.

   (A) billiger sind als andere Reaktoren
   (B) selten repariert werden müssen
   (C) mehr Energie produzieren als sie verbrauchen
   (D) nur wenig Raum beanspruchen

5. According to the author, large amounts of cheap energy _____.

   (A) are the answer to most problems in the world
   (B) will always be an insoluble problem
   (C) are at this time easily available by means of a "perpetuum
       mobile"
   (D) are not necessarily a panacea to the world

Text B

A. RANGANATHAN

Die Sprachenkrise in Indien

*Auszug mit Genehmigung des Econ Verlages, entnommen aus
„Moderne Welt", Band VI* (1965), *S. 308.*

Die jüngsten Sprachunruhen[1] müssen die Beobachter[2] verwirrt[3] haben, die mit dem gleichmäßigen Verlauf des Lebens[4] im Bundesstaat Madras vertraut[5] sind. In der Tat gab es viele, die kaum glauben konnten, daß solche vulkanischen Feuer unter der Oberfläche[6] 5 verborgen[7] lagen. Selten brechen in Indien diese Feuer wirklich aus, doch wenn tatsächlich eine Erhebung[8] stattfindet[9], können die Regierenden[10] und alle anderen Verantwortlichen[11] es sich nicht leisten[12], über sie schnell zur Tagesordnung überzugehen[13]. Um den Hintergrund dieser Phase des gefühlsmäßigen[14] Ausbruchs zu verstehen, ist 10 es nötig, das Sprachenproblem in einem weiteren sozialen, kulturellen und politischen Zusammenhang zu betrachten.

Man tut gut daran, sich zu erinnern[15], daß dieser vulkanische Ausbruch in Südindien eine neue Entwicklung ist. Denn im Gegensatz[16] zum Norden ereigneten sich[17] in Südindien keine gewalt-15 tätigen[18] Zwischenfälle[19] während der stürmischen Periode der Teilung[20] Indiens und ihrer tragischen Folgen[21]. Man fühlte, ein

---

1. **die Unruhe** disturbance.   2. **der Beobachter** observer.   3. **verwirren** to confuse.   4. **der gleichmäßige Verlauf des Lebens** lethargic course of life.   5. **vertraut** acquainted.   6. **die Oberfläche** surface.   7. **verbergen** to hide.   8. **die Erhebung** rebellion.   9. **statt-finden** to take place.   10. **regieren** to govern.   11. **verantwortlich** responsible.   12. **sich leisten** to afford.   13. **zur Tagesordnung über-gehen** to turn to the agenda.   14. **gefühlsmäßig** emotional.   15. **man tut gut daran, sich zu erinnern** one should keep in mind.   16. **der Gegensatz** contrast.   17. **sich ereignen** to occur.   18. **gewalttätig** violent.   19. **der Zwischenfall** incident.   20. **die Teilung** separation.   21. **die Folge** consequence.

Nerv, der in unserer Gesellschaft existiert, wurde plötzlich am 26.
Januar 1965 bloßgelegt[22]. Und diese Beunruhigung[23] endete in einer
emotionalen Krise, die keine halbherzige[24] Lösung zulassen[25] kann.

   An diesem Punkt ist es nötig, einen <u>Unterschied</u> zwischen der 20
Fortsetzung des status quo und einer erzwungenen[26] Änderung zu
machen. Die absurde Behauptung[27], der Süden dürfe dem Norden
nicht die englische Sprache aufzwingen, so wie der Norden dem Süden
nicht Hindi aufzwingen werde, hat im indischen Zusammenhang
keinen Sinn. Während es einige gibt, die sich darauf spezialisieren, das 25
falsche Ende des Teleskops zu benutzen, ist es klar, daß der Süden
lediglich[28] den status quo zu erhalten[29] wünscht, der vor dem 26.
Januar 1965 herrschte[30]. Die Fortsetzung des status quo kann nicht als
Aufzwingen bezeichnet[31] werden, während die Einführung der
offiziellen Sprache eine erzwungene Änderung in sich schließt[32]. Die 30
englische Sprache ist nicht vom Süden dem Norden aufgezwungen
worden. Sie ist nicht einmal[33] von der britischen Regierung aufgezwungen worden.

Exercises

Choose the most accurate expression or equivalent:

1. Die *verborgenen* Klauseln in dem Vertrag verursachten später große
   Probleme.

   (A) gedruckten
   (B) versteckten
   (C) unlesbaren
   (D) unverständlichen

2. Eine _____ Ratifizierung des Wirtschaftsabkommens wurde
   von allen als wünschenswert angesehen.

   (A) schnelles
   (B) schnellen
   (C) schneller
   (D) schnelle

22. **bloß-legen** to reveal.   23. **die Beunruhigung** uneasiness.   24. **halb-
herzig** imperfect.   25. **zu-lassen** to permit.   26. **erzwingen** to force.   27.
die Behauptung assertion.   28. **lediglich** merely.   29. **erhalten** to maintain.
30. **herrschen** to exist.   31. **bezeichnen** to consider.   32. **in sich schließen**
to imply.   33. **nicht einmal** not even.

3. Die *Teilung* Deutschlands wird heute von vielen Politikern als eine permanente Lösung betrachtet.

   (A) Trennung
   (B) Division
   (C) Verteilung
   (D) Vereinigung

4. Die Bewertung von wissenschaftlichen Arbeiten *läßt* keine persönlichen Gefühle *zu*.

   (A) verhindert
   (B) bestreitet
   (C) erlaubt
   (D) verläßt

5. *Die Behauptung*, daß die heutige Jugend keine echten Ziele kenne, ist zweifelhaft.

   (A) Die Bezugnahme
   (B) Die Aussage
   (C) Das Recht
   (D) Die Verwaltung

6. Es ist *klar*, warum die Konferenzteilnehmer zu solch vagen Entschlüssen gelangten.

   (A) verständlich
   (B) sicher
   (C) hörbar
   (D) bedeutungsvoll

7. Häufig ist es am einfachsten, den status quo *zu erhalten*.

   (A) zu wiederholen
   (B) abzunehmen
   (C) beizubehalten
   (D) abzuhalten

8. Die Vereinigten Staaten sind das _____ Mitglied der NATO.

   (A) einflußreichste
   (B) einflußreichstes
   (C) einflußreichsten
   (D) einflußreiches

Fill in or substitute the best expression:

1. The best translation of **Unterschied** (text, line 20) is:

   (A) summary
   (B) continuation
   (C) difference
   (D) evaluation

2. Die Sprachunruhen, mit denen sich der Autor befaßt, haben diejenigen, die sich in Madras auskennen, _____.

   (A) schwer enttäuscht
   (B) völlig überrascht
   (C) nicht sehr verwundert
   (D) hoch erfreut

3. In Südindien sind Unruhen größeren Ausmaßes bis zu diesem Zeitpunkt _____.

   (A) nicht ungewöhnlich gewesen
   (B) immer wieder von Nordindien unterdrückt worden
   (C) häufig von Nordindien angestachelt worden
   (D) noch nie vorgekommen

4. Am 26. Januar 1965 _____.

   (A) wurde das Sprachproblem in Indien friedlich gelöst
   (B) schlossen die Süd- und Nordinder einen Kompromiß
   (C) begannen die Sprachunruhen in Südindien
   (D) fand die Teilung Indiens statt

5. According to the author, it was the goal of the South Indians _____.

   (A) to force the English language upon the North
   (B) to make Hindi the official language of all of India
   (C) to continue the given conditions as prior to the uprising
   (D) to let the British government be the mediator in the dispute

chapter 13

Text A

FRIEDRICH CARL SCHEIBE

Christentum und Kulturverfall[1] im Geschichtsbild Edward Gibbons

Auszug mit Genehmigung des Böhlau Verlages, entnommen aus „Archiv für Kulturgeschichte", Band L (1968), S. 240–41.

Nachdem im Jahre 1776 der erste Band[2] von Gibbons *History of the Decline and Fall of the Roman Empire* erschienen[3] war, entstand[4] sofort eine sich weit verbreitende[5] und das Werk schnell berühmt machende Diskussion, in der sich sachliche[6] Kritik, Bewunderung[7], Anfeindung[8]

1. **der Verfall** decline. 2. **der Band** volume. 3. **erscheinen** to appear.
4. **entstehen** to come up. 5. **verbreiten** to spread. 6. **sachlich** objective.
7. **die Bewunderung** admiration. 8. **die Anfeindung** animosity.

und völlige Ablehnung[9] mischten[10]. Man beschäftigte[11] sich hauptsäch- 5
lich mit dem 15. und 16. Kapitel, die den ersten Band abschlossen[12].
Die darin vorgetragene[13] „natürliche" Geschichte der Ausbreitung[14] der christlichen Religion klammert[15] jeden heilsgeschichtlichen
Bezug der Ereignisse[16] aus, ohne seine Möglichkeit grundsätzlich
zu leugnen[17]. Den Historiker Gibbon interessieren nur die *secondary* 10
causes of the rapid growth of the Christian church. Obwohl das methodische
Prinzip, zu dem er sich damit bekennt[18], am Ende des 18. Jahrhunderts nicht mehr neu war, fühlte[19] sich die englische Orthodoxie
herausgefordert[20]. Die schärfsten[21] Angriffe[22] werden von Oxford aus
geführt[23]. Man will die Methode der Quellenbenutzung[24] frag- 15
würdig[25] machen und das Gesamtwerk dadurch wissenschaftlich
diffamieren. Gibbon selbst hat sich an der Polemik nur mit seiner
Vindication beteiligt[26], durch die er die schlimmsten[27] Vorwürfe[28]
zurückweisen[29] konnte.

Später löst[30] sich die Kritik von der unmittelbar[31] kirchenpolitischen 20
und theologischen Zwecksetzung[32] und findet im Zeichen[33] ro-
mantischen Geistes[34] ihre Ansätze[35] bei der betont[36] rationalen
Darstellung[37] des Geschichtlichen, der Ironie gegenüber dem
Phänomen des Religiösen und der Geschichte des Mittelalters. Im
späten 19. Jahrhundert eröffnet eine verständnisvolle[38] Einordnung 25
Gibbons in die Zusammenhänge[39] der Historiographie-Geschichte
Wege zur gerechten[40] Beurteilung[41] (Dilthey, Bernays).

Viel mehr als dem Ärgernis[42], das es erregte[43], verdankt[44] das

---

9. **die Ablehnung** rejection.   10. **mischen** to mix.   11. **sich beschäftigen**
to concern oneself.   12. **ab-schließen** to conclude.   13. **vor-tragen** to present.
14. **die Ausbreitung** expansion.   15. **aus-klammern** to exclude.   16.
jeder heilsgeschichtliche Bezug der Ereignisse any reference to the events
pertaining to the passion and salvation of Christ.   17. **leugnen** to deny.   18.
sich bekennen to stand for.   19. **fühlen** to feel.   20. **heraus-fordern** to
challenge.   21. **scharf** severe.   22. **der Angriff** attack.   23. **führen** to
direct.   24. **die Quellenbenutzung** use of sources.   25. **fragwürdig** question-
able.   26. **sich beteiligen** to participate.   27. **schlimm** serious.   28. **der**
Vorwurf reproach.   29. **zurück-weisen** to reject.   30. **sich lösen** to
dissociate.   31. **unmittelbar** immediate.   32. **die Zwecksetzung** goals.
33. **das Zeichen** motto.   34. **der Geist** spirit.   35. **der Ansatz** beginning.
36. **betont** outspoken.   37. **die Darstellung** representation.   38. **ver-**
ständnisvoll intelligible.   39. **der Zusammenhang** connection.   40. **gerecht**
fair.   41. **die Beurteilung** judgement.   42. **das Ärgernis** irritation.   43.
erregen to cause.   44. **verdanken** to owe.

Werk seine schnell erlangte[45] Berühmtheit der Bewunderung, die ihm
30 bald in ganz Europa zuteil[46] wurde und die es zu einem vielgelesenen
Buch weit über gelehrte Kreise[47] hinaus machte; in England und
Amerika ist es das bis heute geblieben.

Exercises

Choose the most accurate equivalent:

1. Viele wissenschaftliche Artikel, die im Westen *erscheinen*, werden in
   der Sowjetunion sofort übersetzt.

   (A) drucken
   (B) bleiben
   (C) herauskommen
   (D) veröffentlichen

2. Die Untersuchung der Warren-Kommission ist *sachlich* geführt
   worden.

   (A) tatsächlich
   (B) objektiv
   (C) praktisch
   (D) faktisch

3. Der Antrag des Parlamentsausschusses ist *zurückgewiesen* worden.

   (A) widerlegt
   (B) verboten
   (C) verurteilt
   (D) abgelehnt

4. Der Aufsatz *beschäftigt sich* mit dem Bewässerungsproblem in der
   Sahara.

   (A) befaßt sich
   (B) beurteilt
   (C) erörtert
   (D) handelt sich

---

45. **erlangen** to acquire.   46. **ihm wurde zuteil** he received.   47. **der gelehrte Kreis** academic circle.

5. Der *grundsätzliche* Unterschied zwischen den Ansichten der Regierung und der Opposition ist minimal.
   - (A) gründliche
   - (B) grundlose
   - (C) grundlegende
   - (D) gegründete

6. Die Aussagen des Angeklagten vor Gericht waren *fragwürdig*.
   - (A) ernsthaft
   - (B) zweifellos
   - (C) rücksichtslos
   - (D) zweifelhaft

7. Eine *unmittelbare* Aussprache zwischen den Verhandlungspartnern kann fruchtbar sein.
   - (A) direkte
   - (B) unpersönliche
   - (C) objektive
   - (D) allgemeine

8. Die Rede des Parteivorsitzenden hatte ein *betont* nationalistisches Gepräge.
   - (A) fragwürdig
   - (B) berechtigt
   - (C) ausgesprochen
   - (D) besorgt

Fill in or substitute the best expression:

1. The best translation of **Einordnung** (text, line 25) is:
   - (A) interpretation
   - (B) publication
   - (C) classification
   - (D) evaluation

2. Gibbons Buch über den Untergang des römischen Reiches hat
   _____.
   - (A) zunächst kein Interesse erregt
   - (B) man sogleich nach Erscheinen konfisziert
   - (C) sofort großen Anklang wie scharfe Kritik gefunden
   - (D) ein fundamentalistisch-christliches Gepräge

3. Man versuchte, Gibbon wissenschaftlich zu diffamieren, weil er _____.

(A) seine Quellen in methodisch zweifelhafter Weise benutzt hat
(B) den heilsgeschichtlichen Bezug der Ereignisse grundsätzlich leugnete
(C) sich der romantischen Ironie bediente
(D) rein atheistische Ansichten vertrat

4. Die scharfe Polemik der Kritiker wurde von Gibbon _____.

(A) nie widerlegt
(B) völlig ignoriert
(C) größtenteils zurückgewiesen
(D) vollauf unterstützt

5. Gibbons Buch ist heutzutage _____.

(A) völlig vernachlässigt worden
(B) nicht mehr im Druck erhältlich
(C) ein Standardwerk für die Geschichtswissenschaft
(D) in den Ostblockstaaten besonders populär

Text B

RUDOLF ZORN

Goethes wirtschaftspolitische Vorstellungen[1]

Auszug mit Genehmigung des Carl Heymann Verlages KG, entnom-
men aus „Zeitschrift für Politik", Band XIII (1966), S. 56.

Es gibt wohl keine bedeutende Persönlichkeit, über die so viel
geschrieben wurde, wie über Goethe. Die Monographien über ihn und
sein Werk füllen ganze Bibliotheken. Aus seiner Autobiographie,
seinen Tagebüchern[2], seinen Briefen (weit über 20 000), seinen
Gedichten, die fast alle Gelegenheitsgedichte[3] waren, seinen philo- 5
sophischen und naturwissenschaftlichen Schriften, den Essays über das
Theater und seinen Bemerkungen[4] über seine Amtszeit[5] kennen wir
jede Phase seines Lebens. Wir wissen, womit er sich beschäftigt hat;
wir kennen die Frauen, denen er nahestand[6], die Menschen, mit denen
er verkehrte[7]. Es gibt wenig Wissensgebiete, für die er sich nicht 10
interessiert hätte. Dabei stehen bekanntlich die kulturellen Probleme
im Vordergrund, aber auch wirtschaftliche Fragen beschäftigen ihn.
Unter Wirtschaft verstand man in den Zeiten Goethes den Hausstand[8],
die materielle Lebensführung, die Versorgung[9] der Familie. Zu den
Fragen und Problemen, die ihm seine Hauswirtschaft stellte, hat er 15
sich oft genug geäußert[10]. Kaum je[11] finden wir aber in seinem Werk
ein Wort über die Wirtschaft in unserem heutigen Sinn, über die
Volkswirtschaft. Wir wissen nicht sicher, wie er über diese gedacht

---

1. **die Vorstellung** idea. 2. **das Tagebuch** diary. 3. **das Gelegenheits-**
gedicht occasional poem. 4. **die Bemerkung** comment. 5. **das Amt**
office. 6. **nahe-stehen** to be close. 7. **verkehren** to socialize. 8. **der**
Hausstand household. 9. **die Versorgung** care. 10. **sich äußern** to
comment. 11. **kaum je** hardly ever.

hat und ob sich sein volkswirtschaftliches Denken und Handeln[12] auf
20 eine geschlossene Linie[13] bringen läßt. Dies ist nicht weiter verwunderlich[14], denn die Theorie der wirtschaftlichen Probleme interessierte
ihn nicht, ja nicht einmal die Jurisprudenz, die er auf Wunsch seines
Vaters studierte. Sie hatte ihn wenigstens theoretisch mit den Wirt-
schaftsproblemen seiner Zeit in Verbindung gebracht. Die praktische
25 Erfahrung war ihm alles. So sagte er als alter Mann zu Eckermann am
12. März 1828: „Ich kann nicht billigen[15], daß man von den
studierenden künftigen[16] Staatsdienern[17] gar zu viel theoretische
gelehrte Kenntnisse verlangt[18], wodurch die jungen Leute vor der
Zeit[19] geistig[20] und körperlich[21] nur ruiniert werden. . . . Treten sie
30 in den praktischen Dienst, so besitzen[22] sie zwar einen ungeheuren[23]
Vorrat[24] an philosophischen und gelehrten Dingen, allein er kann in
dem beschränkten[25] Kreis ihres Berufs[26] gar nicht zur Anwendung
kommen[27] und muß daher als unnütz[28] wieder vergessen werden.
Dagegen aber, was sie am meisten bedürften[29], haben sie eingebüßt[30]:
35 Es fehlt[31] ihnen die nötige[32] geistige wie körperliche Energie, die bei
einem richtigen Auftreten[33] im praktischen Verkehr[34] ganz unerläßlich[35] ist."

Um Goethes wirtschaftspolitische Vorstellungen kennenzulernen und
zu verstehen, müssen wir uns zunächst ein Bild von seiner Umwelt[36]
40 und seinen Lebensverhältnissen machen.

Exercises

Choose the most accurate equivalent:

1. Die Soziologie hat einen *bedeutenden* Beitrag für die Bildungspolitik
   geleistet.

12. **handeln** to act. 13. **die geschlossene Linie** common denominator.
14. **verwunderlich** amazing. 15. **billigen** to allow. 16. **künftig** future.
17. **der Staatsdiener** civil servant. 18. **verlangen** to require. 19. **vor der
Zeit** prematurely. 20. **geistig** intellectual. 21. **körperlich** physical. 22.
besitzen to have. 23. **ungeheuer** tremendous. 24. **der Vorrat** supply.
25. **beschränkt** limited. 26. **der Beruf** vocation. 27. **zur Anwendung
kommen** to be applied. 28. **unnütz** useless. 29. **bedürfen** to need. 30.
ein-büßen to lose. 31. **fehlen** to lack. 32. **nötig** necessary. 33. **das Auf-
treten** appearance. 34. **der praktische Verkehr** life. 35. **unerläßlich**
inevitable. 36. **die Umwelt** surroundings.

(A) deutlichen
(B) erklärenden
(C) wichtigen
(D) bedauerlichen

2. Es ist interessant, die verschiedenen *Phasen* einer Kulturentwicklung zu beobachten.

(A) Abschnitte
(B) Niederlagen
(C) Grundsätze
(D) Unterschiede

3. In einer Rundfunkansprache hat sich der Präsident nachdrücklich über seine außenpolitische Haltung *geäußert.*

(A) aufgeklärt
(B) ausgelassen
(C) veräußerlicht
(D) ausgesagt

4. Man hat bis heute noch keine *sichere* Kenntnis über die Auswirkung des Vietnamkrieges.

(A) bedeutende
(B) genaue
(C) berechtigte
(D) erfolgreiche

5. Die scharfe Kritik des Publikums über den Film war nicht sehr *verwunderlich.*

(A) wundervoll
(B) überzeugend
(C) erstaunlich
(D) bewundernswert

6. Der Gehaltsantrag wurde von dem Arbeitgeber *gebilligt.*

(A) abgelehnt
(B) verteidigt
(C) ergänzt
(D) genehmigt

7. Der Beruf des Psychiaters *verlangt* eine langwierige Spezialausbildung.

   (A) erfordert
   (B) ergibt
   (C) verdrängt
   (D) befördert

8. Gewisse Schutzmaßnahmen sind in jedem Industriebetrieb *unerläßlich*.

   (A) überflüssig
   (B) nachlässig
   (C) erforderlich
   (D) zuverlässig

Fill in or substitute the best expression:

1. The best translation of **Verbindung** (text, line 24) is:

   (A) confrontation
   (B) complexity
   (C) solution
   (D) connection

2. Unter Wirtschaft verstand man zu Goethes Zeiten _____.

   (A) die Gastronomie
   (B) den Staatsetat
   (C) die Haushaltsführung
   (D) Ackerbau und Viehzucht

3. Über Goethes Ansichten über die Volkswirtschaft im heutigen Sinne _____.

   (A) haben wir durch seine Schriften ganz genaue Vorstellungen
   (B) ist uns wenig bekannt
   (C) gibt es zahlreiche Monographien
   (D) haben wir ein klares Bild durch Eckermanns Tagebücher

4. Goethe studierte Rechtswissenschaft, weil _____.

   (A) er sich brennend dafür interessierte
   (B) dies durch Generationen hindurch in seiner Familie üblich war
   (C) sein Freund Eckermann ihn dazu überredet hatte
   (D) sein Vater darauf bestand

5. Goethe erwartete von den Staatsbeamten, daß sie _____.

   (A) eine gute philosophische Ausbildung erfahren
   (B) vor allem gute theoretische Kenntnisse mitbringen
   (C) sich im praktischen Leben bewähren
   (D) ihren Militärdienst ableisten

chapter 14

Text A

JOHN STAFFORD

Revision der amerikanischen Afrikapolitik

Auszug mit Genehmigung des Carl Heymann Verlages KG, entnommen aus „Zeitschrift für Politik", Band XIV (1967), S. 496.

Präsident Johnsons Warnung an die afrikanischen Staaten, die USA werden in Zukunft Hilfe nur solchen Ländern zuteil[1] werden lassen, die der Anziehung[2] des „Narrengoldes[3] der Gewalttätigkeit"[4] nicht erliegen[5], bringt eine ganz neue Note in die Melodie, die Amerika Afrika gegenüber bisher angestimmt[6] hatte. In dem konsequenten

---

1. **zuteil werden lassen** to grant. 2. **die Anziehung** attraction. 3. **das Narrengold** fool's gold. 4. **die Gewalttätigkeit** violence. 5. **erliegen** to succumb. 6. **an-stimmen** to strike up.

Bemühen[7], den kommunistischen Vormarsch[8] in der Nachkriegswelt aufzuhalten[9], haben die USA seit Mitte 1945 nicht weniger als 16,5 Milliarden DM in Form von Entwicklungsanleihen[10] und bedingungsfreien[11] Geschenken[12] an die Länder Afrikas verteilt[13]. Kein afrikanischer Staat wurde von dem Dollarregen ausgeschlossen[14], wobei allerdings im letzten Jahrzehnt Marokko, der Kongo, Äthiopien, Liberia, Nigeria, Algerien und Ghana zusammen erheblich[15] mehr als die Hälfte dieses Betrages[16] erhielten[17]. Vier dieser Länder haben zu verschiedenen Zeitpunkten Schlagzeilen[18] in der Weltpresse gemacht: Ghana war infolge der Ambitionen seines Diktators Nkrumah in bittere innen- und außenpolitische Kontroversen verstrickt[19], Äthiopien erlebte Meuterei[20] und Palastrevolution wegen des Problems der Nachfolge von Haile Selassie und wegen der Art des neuen Regimes, und die Grenzkonflikte zwischen Algerien und Marokko erreichten nahezu das Ausmaß[21] eines Krieges. Aber auch Algerien, der Kongo und Nigeria erlitten[22] lange und blutige[23] Bürgerkriege[24]. Ghanas Schwierigkeiten lösten[25] sich bis zu einem gewissen Grade[26], als im Februar 1967 Nkrumah auf Auslandsreise[27] ging und eine Offiziersgruppe ihm die Rückkehr[28] verweigerte[29]. Versuche[30], die völlig zusammengebrochene Volkswirtschaft[31] anzukurbeln[32], werden noch geraume Zeit ohne Erfolg[33] bleiben.

In ähnlicher Weise haben Nigeria, Algerien und der Kongo schwere wirtschaftliche Rückschläge[34] erlitten, da sie sich mehr mit der „großen Politik" befaßten[35] als mit der so bitter notwendigen wirtschaftlichen Sanierung[36]. Alle diese Tatsachen führten zu einer enormen Ernüchterung[37] in der amerikanischen Afrikapolitik.

7. **das Bemühen** effort.   8. **der Vormarsch** advance.   9. **auf-halten** to stop. 10. **die Anleihe** loan.   11. **bedingungsfrei** unconditional.   12. **das Geschenk** gift.   13. **verteilen** to distribute.   14. **aus-schließen** to exclude.   15. **erheblich** considerable.   16. **der Betrag** amount.   17. **erhalten** to receive. 18. **die Schlagzeile** headline.   19. **verstricken** to entangle.   20. **die Meuterei** mutiny.   21. **das Ausmaß** extent.   22. **durchleiden** to suffer through.   23. **blutig** bloody.   24. **der Bürgerkrieg** civil war.   25. **sich lösen** to be solved.   26. **bis zu einem gewissen Grade** to a certain extent. 27. **auf Auslandsreise gehen** to travel abroad.   28. **die Rückkehr** return. 29. **verweigern** to refuse.   30. **der Versuch** attempt.   31. **die Volkswirtschaft** national economy.   32. **an-kurbeln** to stimulate.   33. **der Erfolg** success.   34. **der Rückschlag** setback.   35. **sich befassen mit** to concern oneself with.   36. **die Sanierung** restauration.   37. **die Ernüchterung** disillusionment.

1966 war Nigeria der Hauptempfänger[38] der amerikanischen Afrikahilfe. Das wohl reichste Land des „schwarzen" Kontinents erhielt 117,5 Millionen DM, wovon 42 Millionen auf Entwicklungsan-
35 leihen entfielen[39]. Seit dem Zweiten Weltkrieg hat Nigeria von Washington nicht weniger als 840 Millionen DM erhalten, wobei die Militärhilfe nicht mitberechnet[40] ist. Die neuesten Entwicklungen, die versuchte Separation der Ostregion und die Ausrufung[41] eines eigenen Staates Biafra, machen die Verhältnisse noch unübersichtlicher[42] und
40 die Politik der Vereinigten Staaten noch schwieriger.

Exercises

Choose the most accurate expression or equivalent:

1. *Die* größte *Attraktion* San Franziskos ist die Golden Gate Bridge.

    (A) Der Anzug
    (B) Der Umzug
    (C) Die Anziehung
    (D) Die Beziehung

2. *Die Anstrengung*, den Frieden wiederherzustellen, war vergeblich.

    (A) Die Vermittlung
    (B) Die Bemühung
    (C) Die Beteiligung
    (D) Die Behauptung

3. Der Staat hat das Geld _____ die Bedürftigen verteilt.

    (A) durch
    (B) für
    (C) an
    (D) bei

4. Die Steuerreform kam *jedoch* dieses Jahr zu spät.

    (A) allerdings
    (B) natürlich
    (C) leider
    (D) freiwillig

---

38. **der Hauptempfänger** main receiver.   39. **entfallen** to amount.   40. **mit-berechnen** to include.   41. **die Ausrufung** declaration.   42. **unübersichtlich** obscure.

5. Die wirtschaftlichen Fortschritte Japans sind ganz *erheblich.*

(A) betrachtenswert
(B) bedauernswert
(C) beträchtlich
(D) betrüblich

6. *Infolge* der hohen Zinssätze wurde der Wohnungsbau eingeschränkt.

(A) Folglich
(B) Aufgrund
(C) Zugrunde
(D) Bezüglich

7. Der Zeitschriftenartikel *befaßt sich* mit der Sozialgesetzgebung Bismarcks.

(A) unterhält sich
(B) beschäftigt sich
(C) bezieht sich
(D) verhält sich

8. Der *wohl* einflußreichste Politiker Deutschlands nach dem Zweiten Weltkrieg war Konrad Adenauer.

(A) vielleicht
(B) jedenfalls
(C) gegebenenfalls
(D) selbstverständlich

Fill in or substitute the best expression:

1. The best translation of **Jahrzehnt** (text, line 11) is:

(A) anniversary
(B) century
(C) decade
(D) era

2. Amerika hat den afrikanischen Staaten Entwicklungshilfe gewährt, um ——————.

   (A) von dort Getreide importieren zu können
   (B) dem Kommunismus Einhalt zu gebieten
   (C) weitere Kolonien zu erwerben
   (D) dort Raketenbasen zu errichten

3. Als Nkrumah im Winter 1967 nach Ghana zurückkehren wollte, ——————.

   (A) wurde er mit großem Jubel empfangen
   (B) hatte er erhebliche Schwierigkeiten beim Zoll
   (C) wurde ihm die Einreise verweigert
   (D) wurde er Anführer eines Militärputsches

4. Nach den wirtschaftlichen Rückschlägen Nigerias, Algeriens und des Kongos wurde die amerikanische Entwicklungshilfe ——————.

   (A) völlig eingestellt
   (B) sogleich vervielfacht
   (C) revidiert
   (D) im gleichen Maße fortgesetzt

5. Das reichste Land Afrikas ist ——————.

   (A) Algerien
   (B) Ghana
   (C) Nigeria
   (D) Biafra

Text B

FRIEDRICH KOJA

Der Parlamentarismus in Österreich

*Auszug mit Genehmigung des Carl Heymann Verlages KG, entnom-
men aus „Zeitschrift für Politik", Band XIV* (1967), *S. 333.*

Wenn die „Lage[1] des Parlamentarismus" in einem bestimmten
Staate untersucht[2] werden soll, so bedeutet dies vor allem, daß die
parlamentarischen Vertretungskörper[3] dieses Staates auf Kreation,
innere Struktur und Kompetenzen sowie auf ihre Effektivität in der
gesellschaftlich-staatlichen Wirklichkeit hin zu überprüfen[4] sind. 5
Österreich hat als Bundesstaat „mehrere" allgemeine Vertretungskörper: schon das Gesetzgebungsorgan[5] des Bundes[6] besteht[7] in
Österreich aus zwei Kammern[8], dem vom gesamten Bundesvolk
gewählten[9] „Nationalrat" und dem von den Landtagen[10] der neun
Bundesländer beschickten „Bundesrat"[11]. Von diesem Bundesrat soll 10
hier nicht gehandelt[12] werden; seine rechtliche[13] Gestaltung durch
die Bundesverfassung[14] sowie seine Stellung und Wirksamkeit[15]
wurden in anderem Zusammenhange untersucht.— Ferner übt[16] in
jedem Bundesland ein „Landtag" die Gesetzgebung und bestimmte
Funktionen der Mitwirkung[17] an der Vollziehung[18] aus; auch sie sind 15
nicht Gegenstand[19] dieser Untersuchung.

1. **die Lage** situation.   2. **untersuchen** to examine.   3. **der Vertretungskörper** representative body.   4. **überprüfen** to examine.   5. **das Gesetzgebungsorgan** legislative body.   6. **der Bund** federation.   7. **bestehen aus**
to consist of.   8. **die Kammer** chamber.   9. **wählen** to elect.   10. **der
Landtag** state legislature.   11. **den Bundesrat beschicken** to send deputies to
the Federal Council.   12. **handeln von** to deal with.   13. **rechtlich** legal.
14. **die Verfassung** constitution.   15. **die Wirksamkeit** effectiveness.   16.
aus-üben to exercise.   17. **die Mitwirkung** participation.   18. **die Vollziehung** execution.   19. **der Gegenstand** object.

Hinsichtlich[20] des österreichischen „Nationalrates" sollen vor allem folgende Fragen behandelt werden: 1. Wie ist das Verhältnis[21] des Nationalrates zur Bundesregierung? 2. Welche Rolle spielt die
20 Opposition im Nationalrat? 3. Wie ist die persönliche Stellung der Abgeordneten[22] zum Nationalrat?

Auf diese drei Hauptprobleme wird sowohl im Hinblick[23] auf die verfassungsrechtliche[24] Ordnung als auch auf die politische Wirklichkeit seit 1945 einzugehen[25] sein; dabei ergibt[26] es sich von selbst, daß
25 die mehr als zwanzigjährige Periode der „großen Koalition" zwischen der Österreichischen Volkspartei (ÖVP) und der Sozialistischen Partei Österreichs (SPÖ) im Vordergrund stehen wird. Gleichwohl[27] soll auch versucht werden, die Konsequenzen aufzuzeigen, die sich aus dem Ergebnis[28] vom 6. März 1966 ergeben. Bei dieser Nationalratswahl hat
30 die ÖVP zum erstenmal seit der Legislaturperiode von 1945 bis 1949 wieder die absolute Majorität erlangt[29]; von 165 Abgeordneten des österreichischen Nationalrates erhielt sie 85, die SPÖ 74 und die Freiheitliche[30] Partei Österreichs (FPÖ) 6 Mandate. Koalitionsverhandlungen[31] scheiterten[32]; die SPÖ gesellte[33] sich der oppositionellen FPÖ zu und die ÖVP bildete allein die neue Bundesregierung.
35

Exercises

Choose the most accurate expression or equivalent:

1. Für einen Politiker sind *vor allem* diplomatische Fähigkeiten eine wichtige Voraussetzung.

(A) überall
(B) in erster Linie
(C) erstens
(D) überhaupt

20. **hinsichtlich** regarding.   21. **das Verhältnis** relationship.   22. **der Abgeordnete** deputy.   23. **im Hinblick auf** with respect to.   24. **verfassungsrechtlich** constitutional.   25. **ein-gehen auf** to discuss.   26. **es ergibt sich von selbst** it is self-evident.   27. **gleichwohl** also.   28. **das Ergebnis** result.   29. **erlangen** to receive.   30. **freiheitlich** liberal.   31. **die Verhandlung** negotiation.   32. **scheitern** to fail.   33. **sich zu-gesellen** to join.

2. Eine Produktionsverringerung *bedeutet* zugleich steigende Arbeitslosigkeit.

(A) heißt
(B) meint
(C) verdrängt
(D) erhält

3. Das Welternährungsproblem muß weiterhin *überprüft* werden.

(A) beobachtet
(B) probiert
(C) untersucht
(D) berechnet

4. Eine Regierung besteht _____ der exekutiven, legislativen und judikativen Gewalt.

(A) auf
(B) aus
(C) von
(D) durch

5. In sozialistischen Ländern wird *der Zusammenhang* zwischen Angebot und Nachfrage oft ignoriert.

(A) der Vorhang
(B) der Vorrang
(C) die Verteilung
(D) das Verhältnis

6. Auf der Konferenz wurde das Problem der Geburtenkontrolle *behandelt*.

(A) erklärt
(B) ermittelt
(C) erörtert
(D) anerkannt

7. *Hinsichtlich* der Ostasienpolitik verfolgen die USA einen ganz neuen Kurs.

(A) Abgesehen von
(B) Bezüglich
(C) Außerhalb
(D) Mittels

8. Die Verhandlungen über die Abrüstung sind bisher *gescheitert.*

   (A) gelungen
   (B) fehlgeschlagen
   (C) verabschiedet worden
   (D) verzögert worden

Fill in or substitute the best expression:

1. The best translation of **Stellung** (text, line 12) is:

   (A) localisation
   (B) habitat
   (C) position
   (D) situation

2. Die legislative Gewalt der österreichischen Bundesregierung besteht außer dem Nationalrat noch aus dem _____ .

   (A) Landtag
   (B) Bundestag
   (C) Bundesrat
   (D) Landrat

3. Der Autor diskutiert in diesem Abschnitt _____ Österreichs.

   (A) das Währungsproblem
   (B) die Wirtschaftspolitik
   (C) die Verfassungsgeschichte
   (D) die verfassungsrechtliche Ordnung

4. Zu den führenden Parteien Österreichs gehört nicht die _____ .

   (A) Sozialistische Partei
   (B) Freiheitliche Partei
   (C) Nationalsozialistische Partei
   (D) Volkspartei

5. Durch die große Kaolition verfügte die österreichische Regierung bis Anfang 1966 über _____ der Mandate.

   (A) eine starke Minderheit
   (B) eine knappe Mehrheit
   (C) eine überwiegende Mehrheit
   (D) die Gesamtheit

chapter 15

Text A

HORST HARTMANN

Demokratie und Planung in Indien

Auszug mit Genehmigung des Carl Heymann Verlages KG, entnommen aus „Zeitschrift für Politik", Band XIV (1967), S. 74–75.

Die Auffassung[1], daß in den weniger entwickelten Ländern eine gewisse Lenkung[2] des Wirtschaftsprozesses zur Lösung[3] ihrer sozio-ökonomischen Probleme unumgänglich[4] ist, kann nahezu als herrschende[5] <u>Meinung</u> betrachtet werden. Dabei werden zur Rechtfertigung[6] einer „planvoll" betriebenen[7] Entwicklungspolitik[8] eine ganze 5 Reihe[9] von Ursachen genannt, so daß man fast versucht sein[10]

1. **die Auffassung** concept.   2. **die Lenkung** guidance.   3. **die Lösung** so!ution.   4. **unumgänglich** inevitable.   5. **herrschend** prevailing.   6. **die Rechtfertigung** justification.   7. **betreiben** to pursue.   8. **die Entwicklungspolitik** policy for the development of a country.   9. **eine ganze Reihe** quite a number.   10. **versucht sein** to be tempted.

könnte, an der Möglichkeit, in diesen Ländern einen wirtschaftlichen Wachstumsprozeß[11] einzuleiten[12], zu zweifeln. Aber eine solche Entwicklung ist, wie wir wissen, natürlich möglich. Die Problematik
10 dieser Frage liegt für die wirtschaftlich rückständigen[13] Nationen in erster Linie darin, die entwicklungspolitischen Zielsetzungen[14] nur durch die Mobilisierung aller verfügbaren[15] Quellen[16] und Kräfte realisieren zu können. Die hiermit zusammenhängenden Schwierigkeiten werden noch dadurch aktualisiert, daß das *take-off into self-*
15 *sustained growth* innerhalb einer möglichst kurzen Frist[17] erreicht werden soll.

Nun kann kaum ein Zweifel bestehen, daß die Art der Planung mit dem politischen System in offensichtlicher[18] Wechselwirkung[19] steht. So muß im totalitären Machtbereich[20] die zentralistische Planung in
20 erster Linie als modernes Herrschaftsinstrument[21] verstanden werden. Rostow hat mit Recht darauf hingewiesen[22], daß der Kommunismus nicht wegen seines wirtschaftlichen Inhalts[23] so verführerisch[24] auf die neuen Eliten in den Entwicklungsländern wirkt, sondern weil er eine wirksame Technik der Machtübernahme[25] und ihrer dirigistischen
25 Ausübung[26] aufgezeigt hat. In vielen jungen Nationalstaaten geht[27] daher die Stärkung der staatlichen Planungsfunktionen mit dem Drang[28] nach einer autoritären politischen Ordnung einher.

Diesen „Weg zur Knechtschaft"[29] hat die in Indien lebende Bevölkerung[30] bislang nicht gehen müssen, obwohl auch die indische
30 Regierung[31] die wirtschaftliche Entwicklung auf der Grundlage einer „umfassenden Planung" versucht. Trotz der Inthronisierung des Staates als Entwicklungsdemiurg sind in diesem Land keine Anzeichen[32] einer grundlegenden Veränderung der Politischen Machtstruktur sichtbar. Auch die zahllosen wirtschaftlichen Mißerfolge[33]

11. **das Wachstum** growth.   12. **ein-leiten** to begin.   13. **rückständig** backward.   14. **die Zielsetzung** goals.   15. **verfügbar** available.   16. **die Quelle** resource.   17. **die Frist** time.   18. **offensichtlich** obvious.   19. **die Wechselwirkung** mutual effect.   20. **der totalitäre Machtbereich** dictatorship.   21. **die Herrschaft** power.   22. **hin-weisen** to point out.   23. **der wirtschaftliche Inhalt** economic ideas.   24. **verführerisch** intriguing.   25. **die Machtübernahme** seizure of power.   26. **die dirigistische Ausübung** execution.   27. **einher-gehen mit** to go along with.   28. **der Drang** urge. 29. **die Knechtschaft** servitude.   30. **die Bevölkerung** population.   31. **die Regierung** government.   32. **das Anzeichen** indication.   33. **der Mißerfolg** failure.

haben die politische Entwicklung nicht in diese Richtung getrieben[34] 35
und etwa zum Aufbau[35] einer „Entwicklungsdiktatur" geführt, von
der man in manchen Entwicklungsländern die Stimulierung des
wirtschaftlichen Wachstums erhofft.

Die Umwandlung[36] des politischen Verfassungssystems[37] erschien
in Indien bislang vor allem aus dem Grunde vermeidbar[38], weil durch 40
die Wahl[39] geeigneter[40] demokratischer Institutionen die Voraussetzungen[41] für klare Regierungsmehrheiten und damit für eine starke
Stellung der Regierung geschaffen[42] wurden, ohne daß sie hierzu der
politisch-wirtschaftlichen Machtsymbiose bedurft[43] hätte. Dabei ist
jedoch nicht zu übersehen, daß die indische Zentralregierung auf- 45
grund[44] des organisatorischen Aufbaus der Planungskommission die
Möglichkeit der unmittelbaren Einflußnahme[45] auf die Gestaltung[46]
der Entwicklungspläne besitzt.

Exercises

Choose the most accurate equivalent:

1. Die meisten Amerikaner *sind der Auffassung,* daß die innenpolitischen
   Zielsetzungen vor der Außenpolitik Vorrang haben.

   (A) befinden sich in dem Irrtum
   (B) sind von Bedeutung
   (C) hegen den Wunsch
   (D) sind der Ansicht

2. In Lateinamerika ist die Beschränkung der Bevölkerungsdichte
   unumgänglich.

   (A) unmöglich
   (B) unvermeidlich
   (C) unnötig
   (D) unvorstellbar

---

34. **treiben** to drive. 35. **der Aufbau** rise. 36. **die Umwandlung** change.
37. **die Verfassung** constitution. 38. **vermeidbar** avoidable. 39. **die Wahl**
selection. 40. **geeignet** appropriate. 41. **die Voraussetzung** condition.
42. **schaffen** to create. 43. **bedürfen** to require. 44. **aufgrund** due to.
45. **die Einflußnahme** influence. 46. **die Gestaltung** shaping.

3. Die Protestbewegungen der Studenten müssen als ein ernst zu nehmendes soziologisches Problem *betrachtet* werden.

(A) angesehen
(B) beobachtet
(C) besichtigt
(D) besucht

4. Rotchina hat seit einiger Zeit eine klare Isolationspolitik *betrieben.*

(A) verdrängt
(B) verursacht
(C) geführt
(D) beanstandet

5. In den letzten Jahren hat die Psychologie *eine Reihe* von neuen Erkenntnissen zutage gebracht.

(A) eine Reihenfolge
(B) eine Anzahl
(C) eine Auswahl
(D) eine Versammlung

6. Pestalozzis Interesse beschränkte sich *in erster Linie* auf die Pädagogik.

(A) überheblich
(B) überwiegend
(C) überhaupt
(D) überzeugend

7. Die Modernisierung der Universitäten macht nur langsame Fortschritte, *da* zu wenig Geldmittel vorhanden sind.

(A) denn
(B) deswegen
(C) weil
(D) damit

8. Manche Fernsehsendungen sind für Jugendliche nicht besonders *geeignet.*

(A) passend
(B) ergiebig
(C) interessant
(D) lehrreich

Fill in or substitute the best expression:

1. The best translation of **Meinung** (text, line 4) is:

   (A) meaning
   (B) significance
   (C) opinion
   (D) suggestion

2. Nach Ansicht des Autors ist ein wesentlicher Faktor für die Entwicklung eines rückständigen Landes _____.

   (A) die Beschränkung der Agrarwirtschaft
   (B) die Einstellung der Schwerindustrie-Produktion
   (C) eine vernünftige Planwirtschaft
   (D) eine völlig freie Marktwirtschaft

3. Das Ziel jeglicher Entwicklungspolitik ist _____.

   (A) die politische Opposition auszuschalten
   (B) die Rüstungsindustrie zu fördern
   (C) das Wirtschaftspotential eines Landes voll zu nutzen
   (D) keine ausländischen Kredite aufzunehmen

4. Die staatlich gelenkte Marktwirtschaft in Indien hat _____.

   (A) bisher nicht zu einer Diktatur geführt
   (B) die demokratische Verfassung erheblich beeinträchtigt
   (C) dem Land zu großem Wohlstand verholfen
   (D) zum Aufbau einer angesehenen Handelsmarine geführt

5. Die Entwicklungsplanung eines Landes muß bei einem totalitären Herrschaftssystem _____.

   (A) dezentralisiert werden
   (B) auf freier Marktwirtschaft beruhen
   (C) beseitigt werden
   (D) zentralisiert werden

Text B

WALTER HILDEBRANDT

Welt im Wandel[1]

*Auszug mit Genehmigung des Econ Verlages, entnommen aus
„Moderne Welt", Band VI* (1965), *S. 218.*

Es gehört zu den großen Versuchungen[2] unserer Ordnung, die
eigene Existenz in Zuschnitt[3] und Niveau, die gegenwärtige[4] Realität
der Gesellschaft, in der wir leben, das kategoriale Gefüge[5] unseres
Bewußtseins[6] *hic et nunc*[7] in einer Weise zu verabsolutieren[8], die einer
5   Versteinerung[9] gleichkommt[10]. Natürlich wird viel von Wandel und
Veränderung gesprochen, von „Entwicklung" zumal[11]. Aber da ist
schon das fatale Stichwort gefallen[12], das so sehr enthüllend[13] ist.
Entwicklung — das betrifft[14] die anderen, denen man auch den Titel
der „Entwicklungsländer" einräumt[15], ohne zu merken[16], daß dieser
10 disqualifizierend und distanzierend wirkende[17] Begriff in Wahrheit
uns selber auf Entwicklungslosigkeit[18], auf mehr oder weniger
perfektioniertes Ende und Abschluß[19] hin geistig[20] festlegt[21]. Gewiß
gibt es auch bei uns noch manches zu tun, so wird eingeräumt, aber
das betrifft ja doch nur gewisse noch nötige Ausformungen[22], die mit
15 der Formel „Beseitigung[23] von Schönheitsfehlern"[24] am besten zu

1. **der Wandel** change.   2. **die Versuchung** temptation.   3. **der Zuschnitt** style.   4. **gegenwärtig** present.   5. **das Gefüge** structure.   6. **das
Bewußtsein** consciousness.   7. **hic et nunc** (lat.) here and now.   8. **verabsolutieren** to categorize.   9. **die Versteinerung** petrification.   10. **gleich-
kommen** to equal.   11. **zumal** above all.   12. **das Stichwort ist gefallen**
the key-word has been mentioned.   13. **enthüllen** to reveal.   14. **betreffen**
to concern.   15. **ein-räumen** to concede.   16. **merken** to notice.   17.
distanzierend wirken appearing to be aloof.   18. **die Entwicklungslosigkeit**
lack of development.   19. **der Abschluß** conclusion.   20. **geistig** intellectual.
21. **fest-legen auf** to commit to.   22. **die Ausformung** finishing touch.   23.
die Beseitigung elimination.   24. **der Schönheitsfehler** distraction to beauty.

charakterisieren wären. Die heute weithin kursierende[25] Vorstellung[26], es gehe doch im wesentlichen[27] um die Aufgabe, im großen wie im kleinen[28] Anpassungsschäden[29] zu beseitigen (und hierzu müßte eben die genügende Zahl von ausgebildeten Mechanikern bereitgestellt[30] werden), bewegt sich im Grund[31] in demselben mageren Begriffs- 20 schema wie in dem Falle, wenn wir von „Entwicklungsländern" sprechen. Ein Bewegliches[32], in der Entwicklung Begriffenes[33] soll sich dem Richtmaß[34] annähern[35], so wie der (noch) nicht Angepaßte sich der Norm anpassen möge. Das Nichtperfekte steht[36] offensichtlich gedanklich[37] dem Perfekten gegenüber. Das ist es, was wir als 25 „Versteinerung" des Denkens bezeichnen[38] wollen. Wir müssen die Zuordnung[39] der drei Begriffe des Perfekten, des Gültigen[40] und des Vollendeten[41] neu reflektieren. Nur wenn wir begreifen[42], daß das, was wir als das Perfekte verstehen, in Wahrheit mit der Zeitkategorie des Imperfektums gleichzusetzen[43] ist, gewinnen wir den Zugang[44] 30 zu einem neuen Welt- wie Selbstverständnis[45].

Exercises

Choose the most accurate expression or equivalent:

1. Die kulturellen Entwicklungen der sechziger Jahre *kommen* einer Revolution *gleich.*

   (A) entsprechen
   (B) versprechen
   (C) widersprechen
   (D) besprechen

25. **kursieren** to circulate.   26. **die Vorstellung** idea.   27. **im wesentlichen** essentially.   28. **im großen wie im kleinen** on a large as well as on a small scale.   29. **Anpassungsschäden beseitigen** to solve problems of adaptation.   30. **bereit-stellen** to provide.   31. **im Grund** basically.   32. **beweglich** flexible.   33. **in der Entwicklung Begriffenes** being in the process of development.   34. **das Richtmaß** standard.   35. **sich an-nähern** to approach.   36. **gegenüber-stehen** to face.   37. **gedanklich** intellectual.   38. **bezeichnen** to call.   39. **die Zuordnung** association.   40. **gültig** valid.   41. **vollendet** completed.   42. **begreifen** to comprehend.   43. **gleich-setzen** to equate.   44. **der Zugang** access.   45. **das Selbstverständnis** self-assessment.

2. Viele Politiker der Bundesrepublik *sprechen* von einer Wieder-
vereinigung Deutschlands.

(A) diskutieren
(B) unterhalten sich
(C) beurteilen
(D) reden

3. Das Gebäude, _____ der Bundestag seine Sitzungen hält,
liegt am Rhein.

(A) indem
(B) worauf
(C) woran
(D) worin

4. Die Kritik, die der Redner in seinem Vortrag zum Ausdruck
brachte, *betraf* nur wenige.

(A) befriedigte
(B) bezog sich auf
(C) gefiel
(D) richtete sich nach

5. The people *to whom* he gave the advice were very attentive.

(A) zu dem
(B) denen
(C) welchem
(D) dessen

6. Dieser Artikel *charakterisiert* die Persönlichkeit des neu gewählten
Präsidenten.

(A) beschreibt
(B) bezieht sich auf
(C) behandelt
(D) verzeichnet

7. Der Lebensstandard der Amerikaner unterscheidet sich *im wesentlichen* kaum von dem der Kanadier.

(A) naturgemäß
(B) bezeichnenderweise
(C) allerdings
(D) grundsätzlich

8. Es ist schwer zu *begreifen*, warum die Menschheit nicht mehr von der Geschichte lernt, als dies der Fall ist.

   (A) untersuchen
   (B) verstehen
   (C) entschuldigen
   (D) verhindern

Fill in or substitute the best expression:

1. The best translation of **Begriff** (text, line 10) is:

   (A) seizure
   (B) statement
   (C) concept
   (D) theory

2. Der Autor behauptet, daß wir dazu neigen, unsere Kultur _____ zu sehen.

   (A) optimistisch
   (B) arrogant
   (C) defensiv
   (D) entwicklungslos

3. Wenn wir im Westen von „Entwicklungsländern" sprechen, deuten wir zugleich an, daß _____.

   (A) wir diese Länder für unsere Zwecke nutzen wollen
   (B) diese Länder eine primitive Kultur besitzen
   (C) diese Länder im Gegensatz zu uns noch entwicklungsfähig sind
   (D) für diese Länder der Kommunismus eine große Gefahr bedeutet

4. Der Begriff der Entwicklung hat für den Westen nur noch die Bedeutung _____.

   (A) der Beseitigung der Armut
   (B) von wirtschaftlichem Wachstum
   (C) einer Verfeinerung des Gesellschaftssystems
   (D) des Widerstandes gegenüber allen kommunistischen Einflüssen

5. According to the author the Western World must in reality be assessed as something ——————.

(A) perfect
(B) imperfect
(C) valid
(D) normal

key

Chapter 1	Text A:	1. B	5. C	1. C
		2. D	6. A	2. C
		3. C	7. C	3. C
		4. A	8. C	4. B
				5. B
	Text B:	1. B	5. B	1. C
		2. D	6. B	2. A
		3. C	7. B	3. A
		4. D	8. B	4. C
				5. B
Chapter 2	Text A:	1. D	5. C	1. D
		2. C	6. A	2. C
		3. A	7. B	3. A
		4. C	8. C	4. A
				5. B

	Text B:	1. B	5. C	1. B
		2. D	6. A	2. C
		3. B	7. B	3. C
		4. C	8. A	4. A
				5. C

Chapter 3	Text A:	1. C	5. A	1. D
		2. C	6. D	2. D
		3. A	7. A	3. B
		4. D	8. C	4. A
				5. B

	Text B:	1. A	5. A	1. C
		2. C	6. B	2. C
		3. A	7. A	3. C
		4. C	8. C	4. C
				5. C

Chapter 4	Text A:	1. C	5. A	1. B
		2. B	6. D	2. C
		3. B	7. B	3. B
		4. C	8. A	4. A
				5. C

	Text B:	1. B	5. C	1. C
		2. C	6. A	2. C
		3. D	7. B	3. C
		4. C	8. B	4. D
				5. C

Chapter 5	Text A:	1. A	5. C	1. C
		2. A	6. D	2. B
		3. B	7. C	3. B
		4. D	8. C	4. B
				5. C

	Text B:	1. B	5. C	1. D
		2. A	6. B	2. D
		3. A	7. D	3. A
		4. C	8. A	4. B
				5. D

Chapter 6	Text A:	1. B	5. B	1. C
		2. D	6. C	2. C
		3. A	7. D	3. C
		4. D	8. B	4. B
				5. C
	Text B:	1. C	5. B	1. C
		2. C	6. D	2. B
		3. A	7. A	3. B
		4. B	8. C	4. C
				5. D
Chapter 7	Text A:	1. C	5. C	1. C
		2. B	6. B	2. B
		3. D	7. A	3. D
		4. B	8. C	4. A
				5. D
	Text B:	1. C	5. C	1. C
		2. B	6. C	2. B
		3. A	7. B	3. C
		4. A	8. C	4. D
				5. B
Chapter 8	Text A:	1. D	5. B	1. C
		2. A	6. D	2. A
		3. C	7. C	3. C
		4. C	8. A	4. B
				5. A
	Text B:	1. C	5. C	1. B
		2. A	6. B	2. C
		3. C	7. B	3. D
		4. D	8. B	4. B
				5. A
Chapter 9	Text A:	1. C	5. A	1. D
		2. B	6. D	2. B
		3. D	7. B	3. C
		4. A	8. D	4. C
				5. B

	Text B:	1. C	5. B	1. B
		2. B	6. D	2. C
		3. A	7. B	3. C
		4. D	8. C	4. C
				5. C

Chapter 10	Text A:	1. B	5. A	1. C
		2. D	6. C	2. C
		3. B	7. D	3. A
		4. C	8. B	4. D
				5. C

	Text B:	1. B	5. C	1. C
		2. C	6. A	2. A
		3. C	7. B	3. D
		4. D	8. A	4. B
				5. C

Chapter 11	Text A:	1. C	5. B	1. B
		2. D	6. A	2. B
		3. C	7. C	3. C
		4. A	8. C	4. C
				5. D

	Text B:	1. B	5. B	1. A
		2. B	6. D	2. B
		3. C	7. C	3. D
		4. A	8. B	4. C
				5. D

Chapter 12	Text A:	1. C	5. C	1. C
		2. D	6. D	2. B
		3. A	7. B	3. A
		4. C	8. A	4. C
				5. D

	Text B:	1. B	5. B	1. C
		2. D	6. A	2. B
		3. A	7. C	3. D
		4. C	8. A	4. C
				5. C

Chapter 13	Text A:	1. C	5. C	1. C
		2. B	6. D	2. C
		3. D	7. A	3. B
		4. A	8. C	4. C
				5. C
	Text B:	1. C	5. C	1. D
		2. A	6. D	2. C
		3. B	7. A	3. B
		4. B	8. C	4. D
				5. C
Chapter 14	Text A:	1. C	5. C	1. C
		2. B	6. B	2. B
		3. C	7. B	3. C
		4. A	8. A	4. C
				5. C
	Text B:	1. B	5. D	1. C
		2. A	6. C	2. C
		3. C	7. B	3. D
		4. B	8. B	4. C
				5. C
Chapter 15	Text A:	1. D	5. B	1. C
		2. B	6. B	2. C
		3. A	7. C	3. C
		4. C	8. A	4. A
				5. D
	Text B:	1. A	5. B	1. C
		2. D	6. A	2. D
		3. D	7. D	3. C
		4. B	8. B	4. C
				5. B

STRONG VERBS

The following list contains common strong verbs:

INFINITIVE	3RD SING. PRES.	PAST	PAST PARTICIPLE
backen (to bake)	bäckt	buk (backte)	gebacken
befehlen (to command)	befiehlt	befahl	befohlen
beginnen (to begin)	beginnt	begann	begonnen
beißen (to bite)	beißt	biß	gebissen
bergen (to save)	birgt	barg	geborgen
bersten (to burst)	birst	barst	ist geborsten
bewegen (to induce)	bewegt	bewog	bewogen
biegen (to bend)	biegt	bog	gebogen
bieten (to offer)	bietet	bot	geboten
binden (to bind)	bindet	band	gebunden
bitten (to request)	bittet	bat	gebeten
blasen (to blow)	bläst	blies	geblasen
bleiben (to remain)	bleibt	blieb	ist geblieben
braten (to fry)	brät	briet	gebraten
brechen (to break)	bricht	brach	gebrochen
dringen (to penetrate)	dringt	drang	ist gedrungen
empfehlen (to recommend)	empfiehlt	empfahl	empfohlen
erschrecken (to frighten)	erschrickt	erschrak	ist erschrocken
essen (to eat)	ißt	aß	gegessen

INFINITIVE	3RD SING. PRES.	PAST	PAST PARTICIPLE
fahren (to drive)	fährt	fuhr	ist gefahren
fallen (to fall)	fällt	fiel	ist gefallen
fangen (to catch)	fängt	fing	gefangen
fechten (to fight)	ficht	focht	gefochten
finden (to find)	findet	fand	gefunden
flechten (to twist)	flicht	flocht	geflochten
fliegen (to fly)	fliegt	flog	ist geflogen
fliehen (to flee)	flieht	floh	ist geflohen
fließen (to flow)	fließt	floß	ist geflossen
fressen (to eat)	frißt	fraß	gefressen
frieren (to freeze)	friert	fror	gefroren
gären (to ferment)	gärt	gor	gegoren
gebären (to give birth)	gebiert	gebar	geboren
geben (to give)	gibt	gab	gegeben
gedeihen (to thrive)	gedeiht	gedieh	ist gediehen
gehen (to walk)	geht	ging	ist gegangen
gelingen (to succeed)	gelingt	gelang	ist gelungen
gelten (to count, to be worth)	gilt	galt	gegolten
genesen (to recover)	genest	genas	ist genesen
genießen (to enjoy)	genießt	genaß	genossen
geschehen (to occur)	geschieht	geschah	ist geschehen
gewinnen (to win, to gain)	gewinnt	gewann	gewonnen
gießen (to pour)	gießt	goß	gegossen
gleichen (to resemble)	gleicht	glich	geglichen
gleiten (to glide)	gleitet	glitt	ist geglitten
glimmen (to smoulder)	glimmt	glomm	geglommen
graben (to dig)	gräbt	grub	gegraben
greifen (to seize)	greift	griff	gegriffen
halten (to hold)	hält	hielt	gehalten
hängen (to hang)	hängt	hing	gehangen
		(hängte)	(gehängt)
hauen (to spank)	haut	hieb	gehauen
heben (to lift)	hebt	hob	gehoben
heißen (to be called)	heißt	hieß	geheißen
helfen (to help)	hilft	half	geholfen
klingen (to sound)	klingt	klang	geklungen
kommen (to come)	kommt	kam	ist gekommen
kriechen (to crawl)	kriecht	kroch	ist gekrochen
laden (to load)	lädt	lud	geladen
lassen (to let)	läßt	ließ	gelassen
laufen (to run)	läuft	lief	ist gelaufen
leiden (to suffer)	leidet	litt	gelitten
leihen (to lend)	leiht	lieh	geliehen
lesen (to read)	liest	las	gelesen
liegen (to lie)	liegt	lag	gelegen
lügen (to tell a lie)	lügt	log	gelogen

INFINITIVE	3RD SING. PRES.	PAST	PAST PARTICIPLE
meiden (to avoid)	meidet	mied	gemieden
messen (to measure)	mißt	maß	gemessen
mißlingen (to fail)	mißlingt	mißlang	ist mißlungen
nehmen (to take)	nimmt	nahm	genommen
pfeifen (to whistle)	pfeift	pfiff	gepfiffen
preisen (to praise)	preist	pries	gepriesen
raten (to advise; to guess)	rät	riet	geraten
reiben (to rub)	reibt	rieb	gerieben
reißen (to tear)	reißt	riß	gerissen
reiten (to ride)	reitet	ritt	ist geritten
riechen (to smell)	riecht	roch	gerochen
ringen (to wrestle)	ringt	rang	gerungen
rufen (to call)	ruft	rief	gerufen
saufen (to drink)	säuft	soff	gesoffen
saugen (to suck)	saugt	sog	gesogen
schaffen (to create)	schafft	schuf	geschaffen
scheiden (to leave)	scheidet	schied	ist geschieden
scheinen (to seem; to shine)	scheint	schien	geschienen
schelten (to scold)	schilt	schalt	gescholten
schieben (to push)	schiebt	schob	geschoben
schießen (to shoot)	schießt	schoß	geschossen
schlafen (to sleep)	schläft	schlief	geschlafen
schlagen (to beat)	schlägt	schlug	geschlagen
schleichen (to sneak)	schleicht	schlich	ist geschlichen
schließen (to close)	schließt	schloß	geschlossen
schlingen (to wind)	schlingt	schlang	geschlungen
schmeißen (to fling)	schmeißt	schmiß	geschmissen
schmelzen (to melt)	schmilzt	schmolz	geschmolzen
schneiden (to cut)	schneidet	schnitt	geschnitten
schreiben (to write)	schreibt	schrieb	geschrieben
schreien (to cry)	schreit	schrie	geschrien
schreiten (to stride)	schreitet	schritt	ist geschritten
schweigen (to be silent)	schweigt	schwieg	geschwiegen
schwellen (to swell)	schwillt	schwoll	ist geschwollen
schwimmen (to swim)	schwimmt	schwamm	ist geschwommen
schwinden (to disappear)	schwindet	schwand	ist geschwunden
schwingen (to swing)	schwingt	schwang	geschwungen
schwören (to swear)	schwört	schwur	geschworen
sehen (to see)	sieht	sah	gesehen
sein (to be)	ist	war	ist gewesen
singen (to sing)	singt	sang	gesungen
sinken (to sink)	sinkt	sank	ist gesunken
sinnen (to meditate)	sinnt	sann	gesonnen
sitzen (to sit)	sitzt	saß	gesessen
speien (to spit)	speit	spie	gespien
spinnen (to spin)	spinnt	spann	gesponnen
sprechen (to speak)	spricht	sprach	gesprochen

INFINITIVE	3RD SING. PRES.	PAST	PAST PARTICIPLE
sprießen (to sprout)	sprießt	sproß	ist gesprossen
springen (to jump)	springt	sprang	ist gesprungen
stechen (to sting)	sticht	stach	gestochen
stehen (to stand)	steht	stand	gestanden
stehlen (to steal)	stiehlt	stahl	gestohlen
steigen (to climb)	steigt	stieg	ist gestiegen
sterben (to die)	stirbt	starb	ist gestorben
stinken (to stink)	stinkt	stank	gestunken
stoßen (to push)	stößt	stieß	gestoßen
streichen (to stroke; to spread)	streicht	strich	gestrichen
streiten (to quarrel)	streitet	stritt	gestritten
tragen (to carry)	trägt	trug	getragen
treffen (to hit; to meet)	trifft	traf	getroffen
treiben (to drive)	treibt	trieb	getrieben
treten (to step; to kick)	tritt	trat	getreten
trinken (to drink)	trinkt	trank	getrunken
trügen (to deceive)	trügt	trog	getrogen
tun (to do)	tut	tat	getan
verbergen (to hide)	verbirgt	verbarg	verborgen
verderben (to spoil)	verdirbt	verdarb	verdorben
verdrießen (to annoy)	verdrießt	verdroß	verdrossen
vergessen (to forget)	vergißt	vergaß	vergessen
verlieren (to lose)	verliert	verlor	verloren
verschwinden (to disappear)	verschwindet	verschwand	ist verschwunden
wachsen (to grow)	wächst	wuchs	ist gewachsen
wägen (to weigh)	wägt	wog	gewogen
waschen (to wash)	wäscht	wusch	gewaschen
weichen (to evade)	weicht	wich	ist gewichen
weisen (to show)	weist	wies	gewiesen
werben (to advertise)	wirbt	warb	geworben
werden (to become)	wird	wurde	ist geworden
werfen (to throw)	wirft	warf	geworfen
wiegen (to weigh, intrans.)	wiegt	wog	gewogen
winden (to wind)	windet	wand	gewunden
zeihen (to accuse)	zeiht	zieh	geziehen
ziehen (to pull)	zieht	zog	gezogen
zwingen (to compell)	zwingt	zwang	gezwungen

IRREGULAR WEAK VERBS

INFINITIVE	3RD SING. PRES.	PAST	PAST PARTICIPLE
brennen (to burn)	brennt	brannte	gebrannt
bringen (to bring)	bringt	brachte	gebracht
denken (to think)	denkt	dachte	gedacht
dürfen (to be allowed)	darf	durfte	gedurft
haben (to have)	hat	hatte	gehabt
kennen (to know)	kennt	kannte	gekannt
können (to be able)	kann	konnte	gekonnt
mögen (to may)	mag	mochte	gemocht
müssen (to have to)	muß	mußte	gemußt
nennen (to name)	nennt	nannte	genannt
rennen (to run)	rennt	rannte	ist gerannt
senden (to send)	sendet	sandte	gesandt
sollen (to ought to)	soll	sollte	gesollt
wenden (to turn)	wendet	wandte	gewandt
wissen (to know)	weiß	wußte	gewußt
wollen (to want)	will	wollte	gewollt

202